スライム倒して300年、知らないうちにレベルMAXになってました
She continued destroy slime for 300 years
14
Morita Kisetsu
森田季節
illust. 紅緒

お師匠様～なぜか胸がきつくてボタンが締まりません＞＜

自慢かーっ!

スライムの精霊（姉）
ファルファ

スライムの精霊（妹）
シャルシャ
マンドラゴラの少女
サンドラ

はいはい。アズサお姉ちゃんが守ってあげるからね～。
iiko iiko
yoshi yoshi
アズサ様あ…

我は…心細いんや…

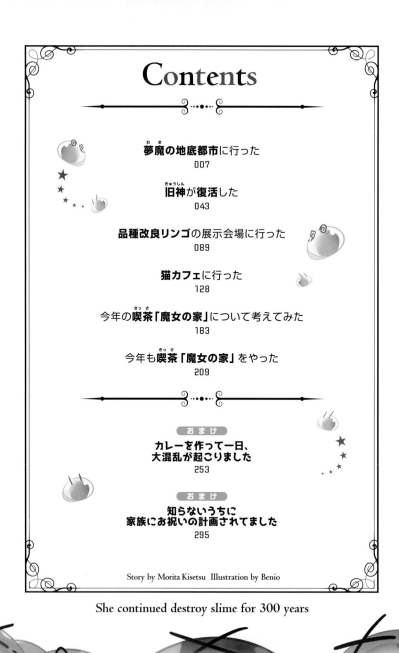

Contents

Story by Morita Kisetsu Illustration by Benio

She continued destroy slime for 300 years

スライム倒して300年、知らないうちにレベルMAXになってました14

Morita Kisetsu
森田季節
illust. 紅緒

アズサ・アイザワ（相沢 梓）

主人公。一般的に「高原の魔女」の名前で知られている。
17歳の見た目の不老不死の魔女として転生してきた女の子(?)。
いつの間にか世界最強になっていて大変な目に遭いもしたが、
そのおかげで家族が出来てご満悦《まんえつ》。

継続はパワーなり。
継続できることしかしません！

わらわの名はベルゼブブ！
魔族の国の農相じゃ!!

ベルゼブブ

ハエの王と呼ばれる上級魔族で、魔族の農相。
ファルファとシャルシャをまるで姪っ子かのように愛でており、
魔界と高原の家を頻繁に行き来している。
アズサの頼れる「お姉ちゃん」。

ファルファ&シャルシャ

スライムの魂が集まって生まれた精霊の姉妹。
姉のファルファは自分の気持ちに
正直で屈託《くったく》がない子。
妹のシャルシャは心づかいが細やかで
気配りが出来る子。
二人ともママであるアズサが大好き。

ママー、ママー！　ママ大好き！
……体は重くとも、心は軽くあるべき

アズサ様、今日も誠心誠意、精進いたします！
フラットルテはライカより頑張るのだ！

ライカ&フラットルテ

高原の家に住むレッドドラゴン&
ブルードラゴンの女の子。
ライカはアズサの弟子で頑張り屋の良い子。
フラットルテはアズサに服従している元気娘。
同じドラゴン族なので何かと張り合っている。

ハルカラ

エルフの娘で、アズサの弟子。
キノコの知識を活かし会社を経営する
立派な社長さんなのだが、高原の家では、
ところ構わず〝やらかし〟てしまう
一家の残念担当に過ぎない。

さぁ、今日は
何を食べましょうかね♪

ロザリー

高原の家に住む幽霊少女。
幽霊である自分を遠ざけず、
手を差し伸べてくれたアズサに心酔している。
壁を抜けられるが人は触れない。
人に憑依する事も可能。

アタシ、姐《ねえ》さんにずっとついていきます！

私は庭に生えてるだけだからね！ がお〜！

サンドラ

マンドラゴラの女の子。三百年育った末に
意志を持ち動くようになった存在。
れっきとした植物で、高原の家の
家庭菜園に住んでいる。意地っ張りで
強がっている事も多いが、寂しがりな一面も。

ペコラ（プロヴァト・ペコラ・アリエース）

魔族の国の王。その権力や影響力を使って
アズサや周りの配下を振り回すのが
大好きな、小悪魔的気質を備えた女の子。
実は「自分より強い者に従属したい」という
マゾ気質を備えており、アズサに心酔している。

クールな雰囲気の魔女のお姉様、最高ですぅ

メガーメガ神

アズサをこの世界に転生させた張本人。
この世界を体現するような、
朗らかで人当たりがよく、
そしていい加減な性格の女神様。
女性に甘く、ついつい甘い裁定をしてしまう。

アズサさんのお力を借りたいな～と

こわっぱめ！
お前もカエルにしてやろうか

ニンタン神

この世界で古くから信仰されている女神様。
常に上から目線で、気に入らない相手を
すぐカエルに変身させてしまう困った性格だが、
人間（レベルMAXを突破したアズサ）に
負けたことで、少し丸くなった。

オストアンデ

この世界の死神。
死神としては必要最低限の仕事しかせず、
趣味で小説を執筆、投稿を続けている。
元来コミュニケーションがあまり得意ではなく、
それを心配したニンタンが、
アズサとメガーメガ神をお茶会に呼び出し、
以降話し相手となった。

……では小生はこれにて

ムーム・ムーム

略称はムー。悪霊たちの国「死者の王国」の王にして、滅亡した古代文明の王でもある。ノリの悪い民（悪霊）に愛想を尽かして引きこもっていたものの、アズサとロザリーと触れあったことで社会復帰（?）した。ノリツッコミ好きな関西人的性格。

おもろかったらなんでもアリなんや
おもろい奴が最強やからな

陛下、ずいぶんと小心者ですね
王たる者にふさわしくないですよ

ナーナ・ナーナ

「死者の王国」のメイド長兼大臣。側近としてムーの世話をしている。真面目で有能なのだが、毒舌で、人の嫌がる事が大好きな困った性格。ムーやアズサの嫌がる事、弱味を見つけては遠回しに嫌がらせをしてくる。

ミスジャンティー

松の精霊。昔から結婚の仲立ちをする存在として信仰されていたものの、最近は風習そのものが廃れてきており焦っている。アズサたちと知り合い、フラタ村に神殿（分院）を建てた。

結婚式パックは
いろいろと用意してるっス!

夢魔《むま》の地底都市に行った

She continued destroy slime for 300 years

その日はどうも朝から雲行きが怪《あや》しかった。

雷がごろごろと鳴っている。

「ハルカラ、今日は空を飛んで通勤はさせられないのだ。雷《かみなり》が落ちるかもしれないからな」

朝食中、フラットルテが窓から外を見ながら言った。

ドラゴンは巨体だから、雷によく狙《ねら》われるのだろう。

「雲を突っ切って上を飛ぶこともできるが、ナスクーテの町まで近すぎるし、雲を抜ける時に危ないからな」

「あ〜、ですよね。雷を喰《く》らったらドラゴンのフラットルテさんでも生きてはいられないですよね」

「おい、ハルカラ、勘違《かんちが》いするな。雷の一撃程度でくたばるほどフラットルテ様は弱くないのだ。一日に五回落ちても平気だったこともあるのだ」

ライカがあきれた顔をしているので、ドラゴンでも普通はそんな天気の日にわざわざ飛んだりはしないんだろうな……。

「でも、フラットルテ様に雷が落ちたら、乗ってるハルカラが死ぬかもしれないのだ。背中で死なれると嫌《いや》だからな」

「うっ……それは怖いので歩いていきたいと思います……」

うん。それがいい。

というか、雷雲が去るまで自宅待機でもいいと思う。

私も窓から外の様子を眺める。

「この高原って天気は安定してるんだけどな。今日はやけにごろごろいってるな……」

たまに雷が遠くでピカッと光っている。

「たしかにナンテール州でこの季節に荒れるというのはあまりないですね。我もロッコー火山でこういった悪天候に苦しんだ記憶はありません」

「ライカもってことはそうなんだろうね。ちょっと肌寒《はだざむ》い時もあるけど、それ以外は過ごしやすいはずなんだよ」

なにせ、私が魔女として転生する時にメガーメガ神様が選んでくれたぐらいだから、住みづらいなんてことはないはずなのだ。

「むっ、姐《ねえ》さん、なんか感じますぜ」

天井《てんじょう》のあたりをぷかぷか浮いていたロザリーの髪が――

一部分だけ寝癖《ねぐせ》みたいに上を向いた！

「姐さん、これはよくないことが起こる前兆のような気がします」

「ロザリー、あなたの髪って変な魔力みたいなのをとらえられたっけ……？」

見てると、アンテナみたいだな……。

「それだけとてつもないものが動き出してるかもってことですかね。アタシも記憶にないんで、初のことかもしれません」

「え～？　なんか後付けっぽいなあ……。だって、最初にムーたちのところに行った時もそんな反応にならなかったじゃん」

霊としての力はムーもすごいものを持っているはずだ。

力を見たことはないけど、ナーナ・ナーナさんなんかも強キャラだと思う。

「それに、魔王も神様も知ってるし、これ以上とんでもないものなんて、そうそう残ってないはずだよ」

「ですよねえ。ですが、もしもにもしもを重ねると、それよりさらにとんでもないものだという危険も……」

「ないない。それはいくらなんでも盛りすぎだよ～」

ただ、ロザリーの予感は当たった。

雷を起こす黒っぽい雲が抜けて、空が明るくなってきた頃《ころ》。

何かが飛んでくるのが窓から見えた。

あれはワイヴァーンだな。どうやら高原の家の近くに降りてきたらしい。

そう時間を置かずに、ファートラが家に入ってきた。

「朝から失礼いたします。至急、アズサさんにお越しいただきたいのです」

いつもと変わらない落ち着いたファートラだけど、今日は口調の裏にどことなく焦《あせ》りを感じる。

「なお、報酬は後で講演料という名目でお支払いいたします」

「その情報、今、いらないでしょ！　少なくともそれより先に、私が行かなきゃいけない理由を話してよ！」

「理由もまだはっきりとはしていないのです。空振りならいいのですが……」

そう言うと、ファートラは一つ息をついた。彼女でもこんなに気が動転することがあるんだ。

私はお茶を用意する。いくらなんでも一分一秒を争うというわけではないだろう。

自然と家族全員で聞く態勢になる。庭にいたサンドラも入ってきていた。

「実は少し前から賢《かしこ》いスライムさんのところに、ドライアドの賢者であるミユミユクッゾコさんがいらっしゃって、共同で研究をなさっていたのです」

「ああ、『世界三大会うのが難しい賢者』のミユか」

近づけず島という、名前のとおり、潮流《ちょうりゅう》のせいでなかなかたどりつけない島に住んでいるドライアドのミユはギャルみたいな人だが、やたらと頭はいい。

「あの島って、出てくるのは簡単なんだよね。潮流に入っちゃうと自動的に沖のほうに排出《はいしゅつ》されちゃうから」

「おっしゃるとおりです。大陸の港町に来るのは簡単なようで、小さな船でやってこられました。

そこからはワイヴァーンでヴァンゼルド城までお連れしました」

私の頭の中には、賢スラとずっと議論をしているミユの図が浮かんだ。

「賢スラも切磋琢磨《せっさたくま》できる友達ができて本当によかったね」

「はい。賢いスライムさんとミユミユクッゾコさんは楽しそうに対話をされていました。ですが……」

ファートラはそこで一息つくように、お茶をずずずっと飲んだ。

楽天的な性格ではないファートラにしても、やけに表情が暗い。

「魔族領のとある土地の地下で発見された古代粘土板《ねんどばん》を読み解くという共同研究をお二人がなさったところ、大変恐ろしいことが書いてあることがわかったようで……」

聞いたことのない概念が出てきたぞと思ったら、シャルシャが本をめくりながら説明してくれた。

「古代粘土板というのは、魔族領の地下に眠っていた謎《なぞ》の言語で書かれた史料のこと。これまでそれが何なのか、魔族たちの中でもわからないままだった」

それは完全な初耳だ。

「えっ？　そんなものがあるの？　魔族って大昔からずっと文明が続いていた印象があったから、別の文明があるって気がしないんだけど……」

「母さんの言うように、魔族の中でも、大昔の魔族が違う言語を使っていたにすぎないと主張する者もいる。ただ、解読がまったくできていないので、長らく超古代ミステリーの一つとなっていた」

いったい、どれぐらい前の話なんだろう……。

私の三百歳なんて魔族の歴史からみると、ひよっこだろうし。

「ねえねえ、ファートラさん、それで古代粘土板には何が書いてあったの？」

ファルファも気になるらしい。たしかに謎の古代文明のことがわかったと言われたら、私でもちょっと興味持つもんね。

「私も詳《くわ》しくは把握《はあく》してないのですが——封印が解けてヤバいことになるそうです。それはそれはヤバいんだそうです」

本当によくわからないが、ヤバそうということはわかった。

「じゃあ、その封印が解けないように、私に来てほしい——ってことでいいかな？」

私なりにファートラがここに来た意図を解釈する。

「いいえ、封印が解けないなら何も問題はないので、どちらかというと、封印が解けて何か出てきちゃった場合にどうにかしてほしいということです」

「そんな案件、講演料でやらせる気⁉」

無茶苦茶《むちゃくちゃ》、ブラックじゃないのか、それ……。得体《えたい》が知れないにもほどがある……。

「申し訳ありません。地下で何かヤバいものが復活した時の予算なんてものはなくてですね……色々わかってきたら、もっとまともな名目でお支払いします」

久しぶりにファートラが官僚だと感じた。

私は、すっと椅子《いす》から立ち上がった。

「私ならいつ出発してもいいよ」

行きたいかと言われれば行きたくはないが、放置できる内容でもなさそうだ。

あと、こんなことを聞かされて、のんびり高原の家で生活することはできないしな……。大事になったら、また私が呼ばれる可能性が高いし……。

「ありがとうございます」

ようやく、ファートラの表情に笑みが浮かんだ。

「このまま、封印も何も解けなければ、それが一番いいんですがね……」

「そんなフラグみたいなことを言うのやめて！」

いかにも、解けちゃいそうじゃないか。

たんに過剰に心配していただけだったというオチでありますように……。

◇

ヴァンゼルド城に行く家族は、私とライカとフラットルテの三人ということにした。

雲の切れ間を一気に突き抜けて、雲の上を進む。

私はライカの背中に乗せてもらう。ファートラはフラットルテの背中に乗っている。ワイヴァーンで戻るより速い。

今回の話はこれまでのものと比べてもきな臭《くさ》いので、娘たちやハルカラを連れていくのはためらわれた。幽霊のロザリーも相手が何者かわからないので待機してもらう。

「それにしても、魔族が把握してないほど古い文明というものがあるんですね」

ライカの声は大きいので速い移動でもちゃんと聞こえる。

「そんな不思議じゃないだろ。だって、悪霊の国のことも魔族は知らなかったのだ。だったら、似たようによく知らない国もあるだろ」

フラットルテが言うように、たしかに魔族は悪霊の国に対してノータッチだったな。

「ムーさんたちの古代文明は魔族の土地から遠く離れたところにありました。ですが、今回は魔族の土地の地下だそうじゃないですか。そこに魔族が把握してない文明の痕跡《こんせき》があるというのは意外ですよ」

「そうだね。私もライカみたいに魔族ってず～っとあの土地に住んでると思ってた。けど……理屈で考えると、そんなことはないのか。はじまりはあるのか」

魔族の歴史を細かく勉強したことはないが、おそらく魔族の中でも旧石器時代みたいなウホウホ言っている人たちの時代はあったのだろう。

ほかの世界から突然移住しましたなんてことがないかぎり、いきなりヴァンゼルド城みたいなのを作ることはできない。

「どれほど昔の話かわからないし、人間の王国よりはるかに歴史も深そうだけど、魔族のほうにも原始的な時代があったんだよね。それより前の文明の痕跡が見つかって、そこから何か復活しそうってことでいい？」

私はフラットルテに乗っているファートラのほうに顔を向けた。

「だと思います。実のところ、私も伝説程度にしか考えていませんでした」

今の生活に直接関わることはないだろうし、普通は詳しく知らないよね。そういうのが好きな人しか意識しないよね。

「私の知識では正確なことはお伝えできません。賢いスライムさんとドライアドのミユミユクッゾコさんの見解をお聞きください。杞憂《きゆう》で済めばいいのですが……」

「フラットルテ様は聞いたこともないすごい奴《やつ》らと戦いたいのだ！」

フラットルテ、まあまあ不謹慎《ふきんしん》！

けど、力比べをするのが目的ならこんなわくわくする話、放《ほう》っておけないと思う。

といっても、ヤバいことの内容が強い敵が出てくる話という根拠はとくにないんだけど。まだ、推測できるほどの情報すらない。

未確定のことが多いので、不安も大きくなる。

かなり急ぎめにヴァンゼルド城を目指そう。


涼しいというより冷たい風を浴びていると、ふと名案が浮かんだ。

そういえば、メガーメガ神様やニンタンなら何か知っているのではないか。なにせ神様なわけだし、魔族の前に何がいたかってこともわかってなきゃおかしい。

だけど、こんな時に限って、アクセスができない。

試しに、脳内で「神様、連絡とれませんか？」と念じてみたけど、もちろん何の反応もなかった。

そりゃそうか。

だけど、向こうからは夢にも突然現れるのに、少し不公平だとも思う。

まあ、神様と同じステージに立とうとするのはいくらなんでも人間として不敬だし、しょうがないけどさ。


……でも、別の考え方もできる。

たとえば、想像以上にまずい事態ですでに神様のほうで食い止めようとしているとか……？

私は首を横に振った。

いやいや、神様に勝てる存在なんていないでしょ。

そんなのいるとしたら、神様ぐらいのものでしょ。

「神様みたいな奴と戦いたいのだー！」

私もフラットルテぐらい、気楽に考えたい！


無事に到着した私たちはヴァンゼルド城の中でもかなり奥の、機密を扱うような部屋に通された。

そこでは、ミユと賢スラが立ったまま、ああだこうだ言っていた。

正しくは賢スラのほうはしゃべれないので、キーボード状の布にぶつかって言葉を作っているが、とにかく議論をしているということはわかった。

「あっ、おひさー!?　アズサたちじゃん!?　もう、ヤバくてヤバくてヤバヤバのヤバって感じぃー」

そんなにヤバいを連呼されると、かえってたいしたことないように聞こえる。

「ミユ、もっと具体的に教えて。何がどうなってるの？」

「魔族の地下のヤバみが濃いんだよね～。マヂウケるし～」

「具体的に言ってよ！　あと、ウケないよ！　全然笑えないよ！」

この人が賢者なのは知っているけど、頭がよすぎるせいかコミュニケーションをとるのがかえって難しい。

ぴょんぴょん賢スラがキーボード状の布にぶつかって、言葉を紡《つむ》いでいく。

危険――という意味の単語だった。

やっぱり具体的ではない。なんだけど――

「……うん。この調子で賢スラに全部教えてもらうと、賢スラがものすごく疲れそうだし、ミユに聞くほうがいいね……」

その時、扉が開いて、見慣れた二人が入ってきた。

ベルゼブブとペコラだ。

「お姉様たち、なかなか大変なことになりました～」

ペコラの表情からすると、まだ余裕がありそうな感じだった。

本当にそうだったらいいんだけど、ベルゼブブのほうはまずそうな顔をしている。

「今のところ、何がわかってるの？　ペコラでもベルゼブブでもいいから教えて」

「うむ。これまで何が書いてあるかさっぱりわかってなかった古代粘土板をな、ミユが来た余興で調べてみることにしたのじゃ」

「余興って……」

「賢スラもミユも賢者じゃろう。賢者だったら、長年解けてない粘土板の文字も読めたりするんじゃないかという軽い気持ちで粘土板を出してきたのじゃ。ま～、単語の一つでも読めた気になれば儲《もう》けものと思っておったわ」

言葉を飾る場合ではないというのはわかるが、ぶっちゃけすぎだろ。

「じゃがな、ミユの言葉を借りるとな……ヤバいことがわかったのじゃ」

「言葉を借りるな」

話が前に進まないから、いいかげん核心に触れてくれ。

「『我らの偉大なる神が解放されれば、自分たちがこの地を広く支配するようになるだろう』と書いてあったのじゃ……」

「神だって⁉　しかも今は封印されているような書き方……」

それは本当にとてつもないことになるかもしれない。

「ひとまず、わたくしたちはその封印されているらしい神を旧神《きゅうしん》と呼ぶことにしました。魔族が信仰している神とは異質の存在のようです」

　ペコラが話を接《つ》いだ。

「あと、今の魔族とも人間さんの先祖とも違う、もちろんエルフさんやドワーフさんとかの先祖とも違う、謎の知的生物が作った粘土板らしいんですよ～」

　ペコラの手には調査報告書らしき紙の束がある。

「その話が事実だとすると、封印が解けないようにしなきゃだね」

「よ～し、その旧神とかいう奴と勝負なのだ！」

　フラットルテが危なっかしいことを言っている……。そんなの、私でも手に余るぞ。

「うむ。そのつもりなのじゃが……」

　ベルゼブブはペコラと顔を合わせた。

「急がないと封印が解けちゃうかもしれないんですよね～♪」

　はにかみながらペコラが言って、私の手をぎゅっと握った。

「なので、お姉様、封印のほうを見てきてもらえませんか？　もしかしたら魔族最大の危機、いえ、この世界中の危機になるかもなんです～。あっ、わたくしったらどさくさにまぎれてお姉様の手を握ってしまいました！」

「あまり危機感がなく聞こえるんだけど……本当にまずいんだね？」

　すでに解決してる案件だったりしないだろうな？

　ペコラはそういうイタズラ好きなところがあるからな……。

「本当ですよ。神様相手となると、一大事ですから〜」

「そうそう。ヤバヤバのヤバなんだって〜」

「ヤバいのじゃ、アズサ。手伝ってくれんか?」

「ヤバいぐらい強い奴が出てきたら面白《おもしろ》いのだ!」

「みんな、一時的にヤバいって言葉を禁止してしゃべって!」

状況がわからなくなる!

間違いなく、これまでで最もたくさんの「ヤバい」を聞いた一日だ。

「アズサ様……我は『ヤバい』という単語が別のものに聞こえるようになってきました……。『ヤ』と『バ』と『い』が並んでるだけと感じるというか……」

ライカも疲れている。そして、ゲシュタルト崩壊みたいなことを起こしている!

「ライカもヤバいなと思ってたんだね」

「あっ、アズサ様、今、『ヤバい』と……」

「………ほんとだ」

私の言葉も周りの相手に影響されてきたらしい……。

「それで、ベルゼブブ、その封印されてる場所っていうのはどこなの? 地下だとは聞いてたんだけど、またヴァンゼルド城の真下?」

私が真《ま》っ先《さき》に思いつくのはそこだった。

このお城は地下が大迷宮のようになっているのだ。

ある意味、魔王の城らしいと言えば、らしい。

「城ではない。粘土板が発見された付近じゃ。そのへんに封印した場所もあると考えるのが自然じゃろ」

「それはそっか」

旧神復活について書かれた不吉な粘土板が出たあたりが怪しいというのは、無難《ぶなん》な判断だ。

「その粘土板が出たところに行けばいいわけだね。私はすぐにでも行くよ」

「……おぬし、今回はいつになくやる気じゃのう」

せっかく気合い入れてるのに、梯子《はしご》を外さないでほしい。

「無茶苦茶煽《あお》りまくってきたのは、そっちじゃん……。それに話をかじっただけだけど、世界レベルの危機になるかもしれないんだったら、いくら私が関《かか》わりたくないと言っても放置できないし……」

「アズサ様のおっしゃるとおりです。こんな時に力を発揮できないようであれば、何のために鍛《きた》えてきたのかわかりませんしね」

ライカは当然のように真面目《まじめ》だ。ご両親もこんなに立派に育ってくれて誇らしいだろうな。

ベルゼブブがゆっくりうなずいた。

「わかったのじゃ。では、今日のうちに移動することにするのじゃ」

◇

私たちはワイヴァーンに分乗して、目的地を目指《めざ》した。

ドラゴンの二人も魔族の土地まで飛んできた体力を回復させるために、同じようにワイヴァーンに乗っている。

それだけでなく、賢スラとミユも行軍のメンバーに加わっていた。賢スラはミユに抱えられている。

なお、ミユはバッグを持ってきているが、中には大量のイモが入っている。

あのイモはマナ補給用のものだ。ドライアドはマナの供給ができないとヤバい（具体的にどうなるかは不明）らしいので遠方に移動する時は携帯式バッテリーみたいなものが必須らしい。

「賢スラとミユは行っても大丈夫なの？」

どう見ても戦闘ができるタイプではないと思うし、心配だ。

「すでに戦場になってるわけじゃないし～。それにまだ見つかってない粘土板が近くから発見されたりして、新しいことがわかるかもっしょ。最新のトレンド追わなきゃ、研究も足下すくわれるしね～」

研究って、ファッションの移り変わりみたいなものなのか？

でも、たしかに五百年前に書かれた研究書が今の水準だと古臭すぎて使い物にならないってことはあるのか。

「やっぱり、研究する時はそのトレンドの発信基地に行かなきゃダメっしょ。今回は粘土板が出てきたところがヤバいってのはわかるから、そこに行かなきゃヤバみもわかんないって」

「トレンドの発信基地って……」

原宿や代官山に行くみたいなノリだ。私もＪＫの時代は原宿を歩いてスイーツを食べていた。最新のものを追いかけるようなことはしてなかったけど、普通にＪＫをしていた。

「ドライアドのミユの補足をしておくとな、まだ封印が解かれて戦場になっておるわけではないのじゃ。じゃから、行くだけなら大きめの地方都市に出かける程度のノリで問題ないのじゃ」

私と同じワイヴァーンの前に乗っているベルゼブブが言った。

「ああ、仮に粘土板に書いてある封印が事実だとしても、何も起きてないってことはまだ封印は生きてるんだもんね」

「そういうことなのじゃ」

ところで、魔族の地方都市ってどんなところだろう？

◇

ワイヴァーンが降り立ったところは、巨大な神殿の前だった。

ただ、問題は――神殿しかないということだ。

神殿周辺は何もない荒野が広がっているだけだった。

人家らしきものすら、ちっともない。森のようなものすら見えない。

神殿みたいな建物だけがぽつんと突っ立っている。

「えっ？　これが地方都市？　何かの間違いでしょ……？」

フラットルテはすでに神殿の外側をてくてく歩き回って、「食べ物も売ってないのだ。しけてるのだ」と言っている。

「あっ、もしや巨大な神殿のほかは全部土の下に埋もれちゃってるとか？　たとえば砂漠にあった古代都市ならそんなこともありそう。それって遺跡であって、やっぱり地方都市とは言わない気もするけど」

「アズサよ、何を言うとる？　これはただの駅じゃぞ」

いまいち話が通じてない感じがある。

まずファートラが神殿の中に入っていった。それにペコラもベルゼブブも続く。

私もそれについていくしかない。

その神殿の内部には――やけに広くて急なスロープがあった。

ちなみに上に向かって伸びているのではなくて、地面より下のほうに向かっている。

「何なんでしょう、これは……？」

ライカも初めて目にするようで、きょとんとしている。

そのスロープは地下のほうに向いて伸びているが、すぐに巨大な金属製の門で行き止まりになっている。

天井は高いが、中は吹き抜けで、とくに何もない。あるものは、このスロープぐらい。

「ここは地底都市ヨーストスに向かうための駅じゃ。ここからでないとヨーストスには入れんからのう」

地底都市という単語を、あっさりとベルゼブブが言った。

「そんなところに町があるの？　初耳だよ！　もっと早く言ってよ！」

「ああ、わらわたちの間では常識じゃから、言い忘れておったわ……」

まだまだ魔族の世界は文字どおり、奥が深そうだ。

「お姉様、魔族の中には太陽の光がそんなに得意じゃない人たちもいるんです。そういった人は地底を開発したところで暮らしてるわけですね」

「魔族ってスケールがデカいね……。あれ、だとすると、地底都市は真《ま》っ暗闇《くらやみ》ってこと？」

「それは大丈夫です。太陽の光がダメなだけで、光だけなら問題ない人たちの都市ですから。むしろ、地上よりも明るいと思いますよ～」

「だったら、暗くて困るってことはないな。それで、どうやって地下へ――」

私の言葉は大きな足音にかき消された。

神殿の詰所《つめしょ》みたいなところから、ものすごく大きなモグラみたいな魔族が出てきた。

そのモグラたちはいくつも連結したトロッコみたいなのを引いている。

「あの大王モグラに乗るんですよ。地下に向かって降りるように飛ぶのは空を飛べる人でも難しいので、だいたいあれで行き来します」

「また新しい乗り物が出てきた……」

私たちは全員トロッコに乗った。

なんか、私とフラットルテが先頭車両の一番前になった。

魔族たちはやけに後ろの車両に乗っている。

そして、金属製の門がゆっくりと上に開いていった。

その門の先には漆黒の深淵が広がっている。少なくとも、灯《あ》かりはほぼ存在しなそうだ。

「うぅ……我はこういうのは……す、少し苦手《にがて》です……」

ライカが多分無意識で私の背中に引っ付いてきた。

「さすがに闇に閉ざされた町ってことはないと思うし、ライカ、少しだけ我慢《がまん》しよう」

「アズサ様、怖くて炎を吐《は》いた時は許してくださいね……」

「それはちょっと困るから、我慢してね！」

こんがり焼かれるのはまずい。

テーマパークでこういうライド系アトラクションがあったかもしれないな。本当に地底に突っ込んでいくところはないと思うけど。

そういえば、このトロッコ、手でつかむところがついているけど、これは何のためなんだ？

「ったく、ライカは弱虫なのだ。ただ先が暗いだけなのだ。これが怖いなら、夜、寝るたびに怖くならないといけないのだ」

フラットルテはこういうのは耐性があるらしい。

あと、フラットルテはなかなか合理的なものの考え方をする。フラットルテの場合、怖いのに強いというより、鈍感《どんかん》なだけという気もするけど……。

「仕方ないでしょう……。真っ暗では敵の場所もわかりませんし、不利になります。それを恐れるのは普通のことです……」

そう言いつつも、ライカは私の背中に密着している。

「ふん。いつもは威勢のいいことを言っていても、こんな闇ぐらいで――」

いきなり、トロッコが大きく縦に揺れた。

「――つっ！　舌を思いっきり噛《か》んだのだっ！」

フラットルテの悲鳴が地下に反響した。

もう、大王モグラが地下の坂を走り出していたのだ。

縦揺れもそれに伴うものだったらしい。

一気にトロッコは闇に突っ込む！

本当に何も見えない。

ただ、トロッコが揺れまくることだけがわかる。

ああ、手をつかむところは、これの揺れのためか……。

ていうか、初乗車なんだから魔族組は教えといてよ！

「ひゃあっ！　怖いです！　アズサ様、怖いですっ！」

ライカの悲鳴がすぐ後ろから聞こえる。

「私もわかるよ！　これ、完全にライド系のアトラクションだよ！」

闇だからよくわからないが、モグラが相当な速度で走っていることはだいたいわかった。

しかも、軽く落下していくような感覚まであるので、こういう乗り物が苦手な人は絶対乗りたくないと思う……。目隠しされて、高いところから落下するアトラクションの要素も加わっているというか……。

「おい、しゃべると舌を噛むのじゃ！　口はあまり開けるでない！」

「だから先に言ってよ！　神殿みたいな駅といい、全部後出しじゃん！」

「……魔族にとっては常識なので言い忘れておった」

こっちは魔族ではないので全部説明してほしい。

「いや～、たまに乗ると気持ちいいですね～！」

「あっはっはっは！　楽しー！　ウケる！　超ウケるー♪　気分アゲアゲー！」

ペコラとミユの笑い声が聞こえてくる……。テーマパーク感覚で利用してるだろ。


ずっと落下している感じだったのがやっと収まった。

ふう、ようやく到着したか――

と思ったら、急カーブを曲がっている感覚がやってきた。

「うわああああ！　今度は何ですかああああああ！」

「ジェットコースターみたいな動きしてるううう！」

「通称『地獄の螺旋《らせん》』じゃな。振り落とされんようにするのじゃぞ。トロッコから投げ出されると、暗くて捜索と救助が面倒じゃからな」

「だから、後から言うなあああああ！」

「ヤバい！　ヤバい！　マジウケるしー！　ヤバーい！　キャハハハハ！」

ミユは完全にギャルの反応をしている……。

「ミユさんはさすが賢者ですね……。達観して恐怖を一切《いっさい》感じていません……。我はまだまだです……」

ライカ、それは肯定的に評価しすぎなのでは……。

「あっ、危なかった～。賢スラ、飛んでいきそうだったし～」

「ちゃんとつかんでてね！　絶対つかんでてね！」

賢スラなんてただでさえ真っ黒なのに、こんな闇の中で落ちたら、発見に手間取るのは必至だ……。

「ここから『連続螺旋』が来ますよ～。皆さん、気をつけていきましょ～！」

ペコラの言葉の直後、体が大きくねじれるような感覚があった……。

乗る前に何もかも言っておいてほしかったけど、あんまり詳しく聞いちゃうとライカは怖くてトロッコに乗れなかったかもな……。

◇

それから先も、途中、一回転するようなコースもありつつも、どうにかトロッコは地底都市ヨーストス側の駅に到着した。

駅はちゃんと照明もついているらしくて、暗くて何も見えないなんてこともなかった。

駅の構造は地上のほうとほとんど変わらない。

「ああ……やっと着いた……長かった……」

「本当ですね……。我もいつ覚《さ》めるかわからない悪夢を見ていたようでした……」

私とライカはかなり精神的に疲弊《ひへい》していた。

「涼しくて気持ちよかったのだ。やっぱり地底は快適だな」

フラットルテの呑気《のんき》さがうらやましい。ていうか、一回転したところ、どういう必要性があったんだ？

「長くなどないのじゃ。十分も乗っておらんはずじゃぞ。大王モグラは相当な速度で走るからのう」

「いや、ベルゼブブ、心理的に長いんだよ……。現実にかかった時間が問題じゃないの……」

魔族サイドはみんな慣れているのか、平気な顔をしている。これが文化の差だろうか。

「もう最高～！　ヤバいくらいはしゃいじゃったし～！　もう一回乗ろっかな～」

「ミユ、遊びに来たわけじゃないから！　けっこう深刻な事態でここまで来てるから！」

もっとも、地底都市側の駅の外側に出ると、私は前言を撤回したくなった。

その地底都市は、全体的にやけに華《はな》やかで楽しそうなのだ。

お菓子《かし》や食べ物を模《も》した看板がかかっていたり、猫や犬やアヒルの絵が壁に書いてあったり。店の壁もやけにカラフルで、ヴァンゼルド城下町とはまた全然違う。いろんなお店からどことなく陽気な曲も流れてくる。

あと、歩いている魔族も確実につけ耳だろうというようなウサ耳を装着していたりした。

しかも地底のくせに、むしろ地底だからこそ照明の魔法を使ってとことん明るくしている。

これじゃまるで――

「夢の国じゃん！」

「ほう。おぬし、そこはどこかで聞きかじったようじゃの。だが、正確には夢魔《むま》の町じゃな。ここは多くの夢魔が住んでおるのじゃ」

変なところでニアミスしていた！

「夢魔は浮《うわ》ついたところで生きるのが好きな奴が多いのじゃ。そのほうが夢のバリエーションが広がるらしいからの」

「だから、やたらと遊園地っぽいのか……」

「騒《さわ》がしいのは事実じゃな。ほかにも目玉が多い奴や、目玉が大きい奴も太陽の光はあまり好きではないから、こっちに住んでおったりするのう。わらわはここの空気は落ち着かんのでそんなに好きではないんじゃがな……」

ベルゼブブの後ろをラッパを吹く楽隊が通りすぎていった。

たしかに騒々《そうぞう》しいし、ベルゼブブは苦手そうである。

「それで、この地底都市のどこに行けばいいの……？」

ここで邪悪な神の封印が解かれそうだとか言われても、完全にアトラクションの説明だと思う。

「粘土板が発見された場所があるので、そちらに向かうのじゃ。大王モグラの駅の付近はとくに栄えておるところじゃからの。もっとはずれのほうに行く――って、すでに遊んでおる奴がおるの……」

フラットルテとミユの頭にウサ耳みたいなのがついていた。

「そこを歩いてる奴からもらったのだ。この町の連中はおかしなことをするな」

「気前いいじゃん！　ここ、もう好きになっちゃったかも！」

やっぱり遊園地だな、ここ……。

魔族め、まだこんな隠し玉みたいな変な世界を持っていたのか。

今回の事件が解決したら、娘たちを連れてこよう。多分楽しんでくれるはずだ。

それにしても、ベルゼブブが娘たちをここに連れてこようとしてなかったのが不思議なぐらい、遊園地みたいだな……。

どうも、ベルゼブブの中にはテーマパークという概念がないようだ。

だから、ここもにぎやかでうるさい街としか見ていないのだろう。

多分だけど、子供の頃からちょっと物事を斜《なな》めに見る性格だったのだと思う。たしかにテーマパークで浮かれている子供時代のベルゼブブをまったく想像できない。

「おい、アズサよ。何をぼうっとしておる。行くぞ」

もう、ベルゼブブたちが歩き出していたので、私も追いかけた。

しばらく歩くと、「関係者以外立ち入り禁止」のエリアが出てきた。

派手な色を塗った木の板に覆《おお》われていて、その板に「こちらには入れません」と書いてある。

だが、こっちは関係者どころか魔王がいる。板の一箇所がドアになっているところから、その先に入った。

「完全に工事現場だね」

「お姉様、さすがです。まさにそんなところですよ」

立ち入り禁止エリアも最初のうちは古くなった街があるぐらいのもので、禁止になっている理由がよくわからなかった。

でも、三分も歩くと、景色が激変した。

街が途切れて、突如として荒野が広がっている。

その荒野で多くの魔族がツルハシで地面を掘っていた。

「なるほど。立ち入り禁止の意味がわかったよ」

ここはテーマパークの外側というわけだな。

「これを見ると、夢が壊れるから見てはいけないってことだね」

「そういうことになります。夢魔は夢が壊れるということをものすごく不吉なこととして嫌いますので」

ファートラが淡々《たんたん》と説明をしてくれた。

「今も地底都市ヨーストスは拡張の工事をしているんです。これはそのうちの一つですね～。一度閉鎖された旧市街の奥に、新しいエリアを造るんです」

ペコラはすべて把握しているらしい。視察で来たこともあるのだろうか。

「それで、粘土板が出土した場所がですね、え～と、あのへんでしたかね」

ペコラが指差した先の地面では、思いっきり粘土板みたいなものが現れていた！

さらに、それに向かって魔族の工事関係者がツルハシを振り下ろそうとしている！

「わー！　待って、待って！　ストップ、ストップ！」

あわてて、私が止めた。

その魔族にはほかのところを掘ってもらいました。

「保存する気皆無じゃん……。史料が消滅するところだったよ……」

「そうなんですよね～。粘土板はまったく読めないものだったんで、長らくどうでもいいものとして扱われていたんですよ」

過去にも相当歴史が失われてるな……。

「それ、早く工事全体を止めたほうがいいのではという気もするけど……そのあたりの判断はペコラに任せる」

「とんでもない内容が書いてあっても、うかつに発表できないですからね〜。それに魔王の一族に不都合なことが書いてあっても厄介《やっかい》ですし〜」

なるほど。政治的な理由もあるんだな。

早速、ミユと賢スラはその粘土板に近づいて、解読をはじめた。

「あ〜、そういう文法なんだ。ウケるー。語形変化、複雑すぎっしょ。使う奴もダルそ〜」

そのミユの横でぴょんぴょん賢スラが跳ねている。賢スラの下にはキーボードみたいな布がまた敷かれていた。ファートラが出してきた布を敷いたのだ。

「これ、韻文《いんぶん》だよね〜。音節の数も決まってるし。定型詩みたいな書き方しかできないってこと〜？　ヤバいぐらい効率悪いわ〜」

ずっと、賢スラは布の上を移動している。

「あ〜、そっか、そっか。この単語の意味、よくわかんないと思ったけど、『すごい』『恐ろしい』『とんでもない』『絶望的』『驚き』、全部ひとつの単語で表現してるわけか〜。ヤバいぐらい使いづらいじゃん。激ヤバ〜！」

それ、まさになんでも「ヤバい」で片付けるのと同じ発想だろ！　ミユが文句《もんく》言う権利はないぞ！

「だいたいわかったし〜。楽勝って感じ？」

「ねえ、ミユ、何が書いてあったの？」

「『ヤバい、ヤバい、マヂヤバい』って書いてあるね〜」

「私に教える気ないだろ！」

「ほら、古代の言葉を翻訳するのってさ～、超難しいんだよね～」

いや、そういう次元の問題ではない気がする。

いくらなんでも、まだ具体的に言えるだろ。

と、賢スラのほうがぴょんぴょんキーボードの布を移動した。

「『うかつに言葉にすると、その意味が逃げてしまう。だからあいまいな表現をするしかない、そういう高度な言葉なのです』か。まあ、意図はわかったよ」

悟りの内容を言語化すると意味が伝わらないみたいなやつだろう。

「いや、こやつらが解釈しきれんからそれっぽい言葉で逃げておるだけじゃろ。騙《だま》されてはならんぞ」

ベルゼブブがぶっちゃけた！

もっとも、粘土板はほかにもいくつもあったので、賢スラもミユもどんどん解読していった。一つの粘土板に時間をかけてられないという事情もあったのだろう。

「すごいですね……。こんな、文字にはとても見えないものを読んでいくとは……。我には到底できません……。賢者と言われるだけのことはありますね」

ライカが心から感心していた。ライカも頭はいいが、それは学校での成績がいいというような範囲のことで（通常はそれでも十分にすごい）、謎の言語をどんどん読みこなすみたいなことはできない。私だってできない。超人の領域だ。

「うん。これは私も手が出せないや。ミユと賢スラに任せよう」

解読の間、フラットルテはせっかくだからとツルハシで工事を手伝っていた。じっとしてるよりは体を動かしているほうが楽しいらしい。

そして、新たな粘土板からこれまでわからなかったことがいろいろとわかってきた。

「『封印が破壊された時、我々の神が復活して、我々を深い闇の底から助け出してくれるだろう』って書いてるっぽいね～」

かなり恐ろしい内容だ……。

「こっちは神に関する祈禱《きとう》の言葉かな～。神の名前も書いてるっぽいね～」

「ついに神の名前も……。なんて名前なの？」

だが、ミユは首を横に振った。

賢スラもキーボード上を「読めない」と移動した。

「神だけのための特殊な文字だから発音がわかんない。マヂめんどい」

なかなか手の込んだことをしてくるな。

「ああ、これ、神を封印してある場所について書いてんじゃん」

すごい！　本当に大発見だ！　それがわかれば、封印が絶対に解けないように守りを固められる！

「ふうん。超ヤバい数学の問題を解かないと場所がわからないようになってるし～。ヤバみ極《きわ》まりって感じ～」

もう、無理矢理にヤバいって言ってないか？

それが数学の問題だということすら読めない私たちには手の打ちようがない。賢者に任せよう。

ミユはイモのバッテリーを一つ背中に差し込んだ。

「気合い入れないとダメみたいだし！　ヤバみ筆舌《ひつぜつ》に尽くしがたしだし！」

ミユは紙を地面に置くと、腹這《はらば》いになりながら、猛烈な勢いで何か書いていった。

賢スラも高速でキーボード上を飛び跳ねまくる。

「ヤバいヤバいヤバいヤバいヤバいヤバいヤバいヤバいヤバいヤバいヤバい！」

すごい！　ヤバいとしか言ってないけど、確実に式が伸びていってる！

「アズサ様、我は感動しています……。ファルファちゃんにもこの様子を見せてあげたいです……。そして、まだまだ自分は精進する余地があるなということを改めて教えられました……。もっと先を目指したいです……」

ライカは涙ぐんでいた。

「ライカ、泣くほどのことなの……？　私には難しいことをしているなってことしかわからないけど……」

ちなみにフラットルテは地面を掘るのをやめて地べたで寝ていた。

ブルードラゴンには解読はどうでもいいことらしい。いや、それは主語が大きいのかな。ブルードラゴンにも賢い人はいるよね。……多分。

——そして、三十分後。

「解けたし」

ペンを置いて、ミユが言い、ゆっくりと立ち上がった。

「いったい、封印の場所はどのへんじゃ？」

「この粘土板を埋めた位置が発掘場所から動いてないという前提がいるんだけど、あっちのほうかな。ヤバいぐらい光ってるところがあるっぽいよね～。そこを守らなきゃ何か出てきちゃうって感じ？」

ミユが工事が続いている方角を指差す。

「よりにもよって絶賛開発中の地区ですね～」

気楽にペコラが言った。

「魔王様、えらいことですぞ！　ちょっとはあわててくだされ！」

「でも、今更あわててもあまり変わらないですよ。魔王たるもの、堂々としてないと」

「時と場合によりますのじゃ！」

「主従でもめてる場合じゃないから！　とにかく確認に行こう！」

私たちは大急ぎでその封印のある場所とやらに向かって走った。

間に合え、間に合ってくれ！

たしかに、そこには不自然なぐらい発光している地面があった。

特別な場所だとすぐにわかる。

「あった！　あれだ！」

だが、もっと近づいていくにつれて、不穏なものが見えてきた。

その発光している地面が黒い布で覆われているのだ……。

ペコラが物怖《ものお》じもせずに平気でその布をはぎとった。

そこだけ色の違う地面が、思いっきりツルハシで割られまくっていた……。


「封印解けてるよ、絶対！」


私は頭を抱えた。

「っていうか、なんでこんなに発光している場所をごく普通に開発してるの⁉　何かおかしいぞと思って止めない⁉　しかも周囲の地面だけ、やけに人工的な感じあるじゃん！」

その付近は地面が整地されたように、やけに平らだ。大理石のようなものを敷いているようだ。

しかも、露骨に輝いている。特別なスポットだってすぐわかりそうなものだ。

「ここに住んでおるのは大半が太陽の光を好まん魔族じゃ……。連中が嫌なタイプの光じゃったのではなかろうかのう……」

ベルゼブブもぐったりと膝《ひざ》をついてしまった。

ファートラも口を手で押さえている。かなりショッキングな事態になっている。

ただ、ペコラはその中で様子が違った。

「あらら、封印、壊れてるみたいですね～」

かがむようにして、他人事《ひとごと》みたいに淡々と封印があったらしい場所を眺めている。

これは能天気なのかな。

ううん、おそらくだけど、ペコラなりに冷静に対処しようとしているんだろう。

ペコラも魔王としての自覚はあるはず。

この子は締める時は締める。それに頭もいい。

状況はすべてわかっている。

「旧神って存在は出てきちゃってるおそれが高いですけど――わたくし、ほっとしました」

にっこりとペコラは微笑む。ふざけているようには見えない。

「ペコラ、それはどういう意味……？」

「封印は解けてしまったと考えられますよね。ですが、わたくしたち魔族の土地には問題が生じていません。だったら、旧神は何もする気がない、あるいはできないんですよ」

そういう考え方もできるのか。

旧神《きゅうしん》が復活した

「ああ。少なくとも、出てきた途端に世界の危機って類《たぐい》のものではないみたいだね」

魔族の国どころか、この地底都市ヨーストスすら滅《ほろ》んでないのだ。

だから、旧神《きゅうしん》は影響力を行使してはいないのだろう。

「さてと、封印が解けたことまではわかったので、次の手を打たないとですね」

ペコラは私たちみんなに笑みを向けた。


「旧神を捜《さが》しましょう」


たしかに旧神が出ているらしいぞと思って納得《なっとく》して終わるわけにもいかない。

「旧神も出てきたはいいけど、この時代がよくわからないから、あたりをうろちょろしてる可能性が高いですよね。地底都市内を調べてみましょうか」

そう、まだ時間はある。

旧神が何かやる前に手を打つことはできる。

「ですが、魔王様、旧神というのがどんなものかもわからんのでは捜しようもないのでは……」

——と、賢スラがぴょんぴょんジャンプしだした。

「むっ、すでに粘土板《ねんどばん》から旧神の特徴もわかっておるのか？　よし。教えるのじゃ」

賢スラが高速でキーボードの布の上を移動する。

「なになに、『大いなる神は無限に姿と形を変えることができる』じゃと？」

いかにも神様らしいな。

「げっ……無限に姿が変わるんだったら捜せないじゃん……」

「まだじゃ。賢スラは動いておる。『普段は楕円形《だえんけい》』だそうじゃ」

楕円？　かえって謎《なぞ》が深まったぞ……。

「それから、『大いなる神は無限でいらっしゃるので、無限を描き、形にとらわれない』ということだそうじゃ」

「やっぱり捜しづらい設定だ……」

ただ、賢スラは止まっていない。

「『それを絵が下手《へた》なだけという神もいるが、根拠のない誹謗中傷《ひぼうちゅうしょう》である。あれは無限を描けることを示しているのだ』。以上じゃ」

最後のほう、妙に具体的な情報が出てきた……。

「というわけで………絵が下手な奴《やつ》がその旧神である可能性が高いのう。ヒントは絵じゃ」

そう言っているベルゼブブも、「なんだ、そのヒント」と思っているらしい。顔を見ればわかる。

「結局、どう捜すの？　地底都市の住人に片《かた》っ端《ぱし》から絵を描いてもらうわけ？」

「しょ、しょうがないではないか！　わらわが粘土板を書いたんじゃないんじゃ！　文句《もんく》なら粘土板作成者に言ってくれ！」

ベルゼブブの責任でないのは事実なので、それ以上の追及はやめよう。

けど、捜す方法がわからないままという状況は変わらない。

「ヒントがないよりはいいですよ。わたくしが少し手を打ちましょう。ヴォサノサノンンヂシダウ・ヴィーディステ・フルコ・シゾニ」

ペコラがぶつぶつと、詠唱《えいしょう》をはじめた。

それって私がベルゼブブを呼び出す時に使うのと似ているような――

ペコラの真ん前に一人の魔族が召喚された。

何者かわからないけど、そこそこ身分は高そうな雰囲気だった。

「あの……魔王様がどうして……」

「ちょっとお願いしたいことがありましてね。こういうことをやってもらえますか？」

魔王に逆らえるわけもなく、その魔族は善処すると言って、走って去っていった。

「あの、ペコラ……今の人、誰《だれ》なの？」

「この地底都市ヨーストスの市長です」

「なるほど。たしかに市長に協力を要請するのは正しい行動だね」

「街の各所でイラストコンテストをやってもらうことにしました」

「要請の仕方がおかしい！」

さすが魔王だけあって、なかなかのゴリ押しだ。

「これで絵が下手な人が見つかる可能性は高まりますね。大幅に捜索範囲が狭《せば》まるはずです。えっへん！」

これはツッコミを入れたほうがいいのだろうか。

状況は危機的なはずだから遠慮せずに言うべきだよね。

「あのさ、絵が下手な人がイラストコンテストなんて参加するかな？　私だったら恥《は》ずかしいから描かないよ」

下手の横好きというケースや、本人が自分は下手だと思ってないというケースもあるだろうけど、一般的には下手なのを見られたくないから参加しないはずだ。

「お姉様、ご心配なく！」

ペコラの自信は揺らがない。もしや、何かまだ秘策みたいなものがあるのか？

「その時はその時です！」

「すごくポジティブシンキング！」

「今から描いてもらえないかもと悩んでも無意味です！　ここはやれるべきことをやっていくべきです！」

それに関してはまったくの正論なので、とくに言うことはない。

いくらなんでも絵が下手な人をサーチする魔法などないし、ここは待ちの時間だ。

あるいは神様みたいな立場だと、絵が下手という情報からでも検索できるのかな？

そういえば、私の知り合いの神様たちはどうしてるんだろう？

神様たちが気まぐれなのは知っているけど、旧神が復活した可能性が高い現状だと、少し不安だ。


「さてと、やることはやりましたかね～」

う～んとペコラは腕を伸ばした。

「今日はホテルで休みましょうか。ヨーストスのいいホテルを人数分予約しました」

「まっ、封印が解けたことだけでもわかったから上出来か」

「朝食のバイキングは大人気なんですよ～！　楽しみにしててくださいね～！」

世界の危機かもしれないはずなのに、そんな恐ろしい気になれないのはなぜだろう。

おそらく、私がこの世界に順応してきたせいなんだと思う。

うん、きっとどうにかできる。今は朝食のバイキングに期待するぐらいでちょうどいいんだ。


「あと、お姉様はわたくしと同室ですから～♪」


さらっと言われた。

「あの！　いまいち納得がいかないのですが！　こういう時は家族でまとめて一部屋にするか、一人一部屋にするものではないのですか⁉」

私より先にライカが抗議に行った……。

「だって〜、ドラゴンの方がお二人いらっしゃるので、お二人で同じ部屋にするほうがいいかなと思いまして。というわけで、ドラゴンのお二人は同室です♪」

ライカがものすごくげんなりした顔をしている間に、今度はフラットルテが抗議に加勢した。

「おかしいのだ！　こんな気難《きむずか》しい奴と同じ部屋に泊まったら窒息してしまうのだ！」

「フラットルテ、失礼ですよ！」

「アタシが息苦しくなるのはアタシの勝手だからしょうがないだろ！　部屋を汚すなとか暴《あば》れるなとか凍らせるなとかうるさく言うのが見えているのだ！」

すべて当たり前のことだし、誰と同室だろうと一人部屋だろうと守ってほしかった。

私はライカの肩をぽんぽん叩《たた》いた。

「フラットルテがあんまり暴れて迷惑にならないように見ておいてくれる……？」

「う……アズサ様……。わかりました……お目付け役は必要ですからね……」

ライカはしぶしぶながら受け入れてくれた。

ずっとペコラがくすくす笑っていたので、このあたりのこともすべて仕組《しく》まれていたんだろう。

いっそ、旧神の騒動も仕組まれたことだったらいいんだけどね。

……いや、今更仕組んだことですと言われたら、怒るな。

◇

ヨーストスの中心部に戻ったら、至《いた》るところで「マスコットキャラクターを描こう」とか、「風景を描こう」とかいった催《もよお》しをやっていた。

絵であぶりだすという作戦を本気でやっているらしい。

そもそもの話、旧神は無限に姿と形を変えられると粘土板に書いてあったんだけど、知的生命体らしい見た目をしているのだろうか？

部屋の壁にでも擬態《ぎたい》されていたらどうしよう。生物の見た目すらしてないのでは捜すのは不可能だ。

そんな不安を残しつつ、私はペコラと同じ部屋に入った。

「なかなか豪華ですね～。発展している都市だけのことはあります♪」

ペコラは早速ベッドのやわらかさを確かめつつ、離れているベッドを押して、引っ付けていた。

「いや、そこは離したままでいい」

「え～？　妹分とお姉様が一緒に眠るのは普通のことですよ～。これはマナーですから」

お姉様と言ってくれるけど、妹分としてこっちの言うことは聞いてくれないんだよなあ……。

もっとも、ベッド程度でああだこうだ言っていられるというのは、幸せなことなのだ。

そして、その状態を演出しようとしているのは――ペコラだ。

「ねえ、ペコラ、一つ聞いていい？」

ペコラはベッドの上で泳ぐみたいに足をバタバタさせていた。

「はい、お姉様、何でしょうか？」

「ペコラ、そこまで危険なことにはならないって予想がついてるんじゃない？」

私がそう言うと、ペコラは静かにベッドの隅《すみ》に腰かけた。

「どうして、そうお考えなんですか、お姉様？」

この反応は、当たりなのかな。まだ判断するには早い。私の希望的観測というおそれもある。

「だって、何をしでかすかわからない神様があなたの国で復活したって話だよ。もっとあわててもおかしくないでしょ。でも、ペコラはわざと演技してるのかもしれないけど――やけに落ち着いてる」

私以上に魔王であるペコラにとって深刻な事態のはずなのだ。過度に心配させまいとしているのだとしても、それだけでここまで悠々《ゆうゆう》としていられるだろうか。

「そうですね。だいたい正解です。そんな危険な神様ではないとわたくしは思ってるんですよ。その根拠は――」

その根拠は⁉

「この世界を窮地に陥《おとしい》れるような神様だったら、魔族が信仰してない神様なんかも動こうとするはずじゃないですか。そんな神様と交友関係のあるお姉様だって、何か聞いていそうなものですけど、わたくしたちから聞くまで初耳だったじゃないですか～」

胸を張って、ペコラが説明を続ける。

「わたくしは魔族の神しか信仰してないので、ほかの土地の神様は神様だとは認めてません。でも、ほかの土地にも神様が実在することはよ〜く知ってます。この世界全体に関《かか》わる問題なんですから、危険な神様でしたらほかの神様も手を打ちますよ」

「一理ある。私も似たことを考えてた」

私は軽くうなずいた。

「私は神様から反応がないからこそ気味が悪いと思ってたけど、どうでもいいことだから、神様から反応がないという考え方もできるな」

メガーメガ神様かニンタンから注意喚起程度はありそうなものだけど、今のところ、何もないからな。

それに神様の問題なら、神様の間で解決してもらうのが一番だ。

私や魔族が関与するべき話じゃない。

「ふう、私も肩の荷が下りた気がするや」

——と、部屋の中に奇妙な空間のゆがみが現れた。

そう思った次の瞬間には、メガーメガ神様とニンタンが出てきた。

「アズサさ〜ん！　大変です〜！　古い神の封印が解かれちゃいました！」

「アズサよ！　旧神が復活したようである！　まずいことになったぞ！」

このタイミングで注意喚起が来たー！

「どどどどどどうしましょう……」

ペコラがベッドにぱたんと倒れてしまった。

本当にまずいぞと思ったせいだろう……。

「ちょっと、ちょっと！　もっと早く教えてくださいよ！　楽観的に考えてたペコラが気絶しちゃってますよ！」

「すみませんね～。神だけで内々で解決しようとしてたので、連絡が遅れちゃいました」

組織として一番やったらダメなやつ！

「うむ。大事になってしまって、これ以上黙っておるわけにもいかなくなってきたのでな、報告することにした」

絶対に聞きたくないことを今になって聞かされている……。

「旧神が復活したことは以前からわかっていたのであるが、姿を自由に変えられる奴なので、見つけられておらぬ。おそらく、この地底都市とかいうところに潜伏したままなのだと思うが……」

「ニンタン、そこは神様の力で見つけられないの……？　あと、旧神って何なの？　名前ってわかるの？」

「いっぺんに聞くのはやめよ！　答えづらい！」

私と目を覚《さ》ましたペコラはニンタンから話を聞いた。

「まず、旧神といっても、この世界におる神よりも古くからおったわけではない。あくまでもこの世界ができた時の神の構成員の一人にすぎん」

「ですね。ニンタンさんの同期ですね。引退したOBみたいなものですね」

メガーメガ神様のたとえが相変わらず軽い。

「多くの神は今もこの世界に留まって、バリバリに活躍しておったり、細々《ほそぼそ》とやっておったり、隠居して寝ておったりしておる。ただ、あやつは朕《ちん》たちと意見が合わなかった」

「音楽性の違いで解散ってやつですね」

メガーメガ神様がちゃちゃを入れてくるので、集中して聞きづらい。

「とにかく個性的で合わせることを知らない奴での、それ自体は別に悪いことではないのだが、だからと言って好きにさせてしまうと、折角創生されたばかりの世界がおかしな方向性になる。やむをえず、朕たちはあやつを地下深くに封印することにした。だから、旧神と呼ばれておるのだ」

神様たちも旧神と呼ぶのか。偶然ってすごい。

「その時にもっと平和的に解決していれば、今になってあわてなくてもよかったんですけどね～」

「メガーメガ、**カエルになれ**」

イライラが限界を超えたニンタンが手から青白い光を出した。

その光を浴びたメガーメガ神様がまたカエルに変身した。

「あっ、このカエル、珍《めずら》しい種類ですゲロ～。なんか得した気分ゲロ～」

「メガーメガ神様、邪魔をするだけだったらマジで帰ってください……」

過去にお世話になったとはいえ、ずっとこの調子だと信仰心も下がる。

「断っておくが、力ずくで地下に押し込めたようなことはしておらんぞ。地下の一部の支配権を認めるから、そこで勝手にやってくれという分け方をした。封印は、いわば境目があいまいにならんための壁みたいなものである」

「その壁が壊れたということか」

「ここまで地下の開発が進むとはその頃《ころ》は考えておらんかったからな」

メガーメガ神様がたまにカエルの舌を出しているので、気になる。

「あの、話をお聞きしていた感じだと、その旧神って方はそんなに危なくはないということですか？　平和的に封印してたんですよね？」

ペコラが希望にすがるようにニンタンに尋《たず》ねた。

「そうではあるが、なにせ昔のことであるからな。今のあやつが何を考えておるかまではわからん。それにあやつは地底の知的生命体を統括しておる。それが上に出てくるとまずい」

さりげなく、とんでもない情報がニンタンの言葉にはさまっている。

「ニンタン、この地下に人が住んでるってこと……？」

まったくの初耳だぞ。ある種、神様が封印されていたのに匹敵《ひってき》するぐらいのインパクトがある話だ。

『人』なのかはわからん。そなたらのような姿とはまったく異なるものである。これは予想にすぎぬが——そのへんの一般人が目にしたら理性が崩壊すると思う」

恐ろしい話になっている！

「まるで、クトゥなんとか神話みたいゲロ～」

メガーメガ神様が私にしかわからないことを言ったが、私も同意見だ。

この地下には私たちが想像もできない何かが詰まっているのか……。

「あの～、お聞きしてもいいですか～？」

ちょこんとペコラが挙手《きょしゅ》した。

「ほかにも神様方はいらっしゃるんですよね。その方たちも食い止めようとしてるんですよね？」

そういえば、この二人以外の神を知らない。

無数の神が協力してくれるなら、どうにかなるのでは？

「そうだよね。さっきの話によると、その旧神と同じ世代の神ですら、まだまだ現役《げんえき》なんでしょ。手伝ってもらえれば百人力だよ」

ニンタンが思いっきり目をそらした。

「………みんな、自分の責任ではないとか、神が関与しすぎるべきではないとか言って、ノータッチのつもりでおる」

身勝手にもほどがある！

「なので、そこの女神様とカエルの私が捜しているけど、見つけられないままというわけゲロ」

メガーメガ神様、その言い方だとデフォルトがカエル状態みたいです。

まあ、せめてプラス思考でいこう。ここの神様二人が手伝ってくれるようになって有利になったと思おう。

そうだ。ずっと聞いてないことがあった。

「ニンタン、その旧神の名前ってなんていうの？」

どうやら神様はほかにもたくさんいるようだし、固有名詞があるなら、それで呼んだほうがいいだろう。

それにもしかしたらその名前で宿泊してる人がいたりするかもしれない。最低でも、宿帳に旧神とは書かないだろう。

「名前か。あやつは、デキアリトスデという」

「言いづらい名前だ……」

やっぱり旧神と呼ぶべきだな……。

◇

翌日、私たちはその旧神デキアリトスデを見つけるために地底都市ヨーストトスを手分けして捜すことにした。

といっても、姿を自由に変えられるらしいので、見た目で見つけることは不可能だ。

しかも、魔族の土地だから、いろんな見た目の人が歩いている。これが人間の街なら見た目のバリエーションは狭くなるので、やけに目立つ存在を追ったりできるのだが……。

「ベルゼブブ、あの魔族、角が長すぎない？」

「あれぐらい長い奴は普通におる」

「あっちのミノタウロス、頭が大きすぎない？」

「そういう体型なだけじゃ。わらわは頭が大きいから調べさせてくれと言う勇気はない……。本人が気にしておるかもしれんからの……」

「あの魔族、尻尾《しっぽ》が長すぎるんじゃない？」

「ああやって地面に垂《た》れておると、擦《す》れて痛いことも多いらしいのじゃ。尻尾が長すぎるのも考えものじゃのう……」

魔族が個性豊かだから見た目で判断できない。

「やっぱり通行人から奇妙な奴を見つけるのは無理じゃのう」

「だね。けど、その旧神がこの街に今も紛《まぎ》れてるとしたら、騒動を起こさない理由はちょっとわかるかな」

ベルゼブブが「なんでじゃ？」という顔をした。

「だって、ここってどんな見た目でもとりあえず受け入れてくれるでしょ。個性的すぎてほかの神様から独立することになった旧神からしたら、居心地がいいのかも」

旧神が封印されたはるか昔には今みたいな魔族もいなかっただろうし、知らないうちに自分の理想とする世界に近づいたなどと思っていたりするのでは？

「そうならよいのじゃがな……。ったく、旧神というのもはた迷惑じゃのう。トラブルを起こす意図がないならそう宣言してくれればよいものを……」

魔族の大臣からしたら、それが本音だろうな……。

「午前の部は成果なしでおしまいでよいじゃろ。昼の部は本命の作戦で行くのじゃ」

「本命？」

「絵の下手な奴を捜す。ヨーストスの至るところでイラストを描かせるイベントをやっておるからの。午前のうちに一枚ぐらい描いておってもおかしくない！」

神様まで参加している捜索活動なのに、策にツッコミどころが多すぎる……。


お昼。

私たちは地底都市ヨーストスの役所の一部屋に集まっていた。

そこにヨーストス各地で行われていたイベントの絵がどんどんやってくる。

「『ヨーストス街並みイラストコンテスト』『あなたのママを描こう』『地底都市の公式マスコットキャラクター募集』『イラストを出すと二割引き！』……。あの手この手で描かせようとしてたんだな」

ただ、旧神にママはいないと思うから、ママを描くイベントはダメだろう。案の定、子供が描いたような絵ばかりだった。

「街の絵は月並みですね～。これといった才能を感じません。風景を描けばいいってものじゃないんですが」

ペコラがやけに毒舌だ……。魔王って芸術的素養も高いのだろうか。

「魔王様、マスコットキャラクターの部も微妙ですな。とくにこれ。円に棒みたいな手と足を生やしただけですじゃ。シンプルにすればいいというものではないということを知ってほしいですな」

魔族たち、マジで公募作品を選ぶみたいな姿勢なの、おかしいだろ。

もっとも、ズレた反応をしているメンバーはほかにもいた。

「『丁寧《ていねい》によく描けています。色づかいにオリジナリティが感じられます』と。コメントはこんなところでしょうか。次の絵はと」

「ライカ、一枚ずつ講評を書かなくてもいいんだよ！　そういう仕事じゃないから！」

真剣になる箇所が違う。

「うわ、これは下ネタですね。お見せできないので捨てておきましょう」

「場をわきまえて、発表してほしいものであるな。過激にすればそれで芸術だと思うておるバカはいつの時代にもおる。神の中にもそういうのがおったわ」

二人の神もちゃんと働いているのか不安になってきた。

むしろ、ちゃんと公募作品を見すぎなのだ。

「やっぱり、絵の下手な奴から見つけるという作戦は無理があったよね……」

自由参加の時点で、どちらかといえば絵が得意だったり好きだったりする人が描いてくるわけで、絵が下手な人が挑戦する可能性は低いはずだ。

根本的なところから欠陥がある。そう言わざるを得ない。

そう思いつつ、自画像のコーナーをぺらぺらめくっていった。だいたい、そこそこ上手《うま》いし、おそらくそこそこ美化して描いている気がする。

だが、私の手は途中で止まった。

下手とか上手いとかじゃなくて、適当に線を書きなぐったようなのがあった。

「え、何これ？　抽象絵画？　現代アート？」

前世で美術館の現代美術のコーナーに行ったら、だいたい丸や四角を描いただけだったり、絵の具をぶちまけただけだったりの、どう楽しんだらいいかわからない絵画が置いてあったものだが、そういうのに近い。

あの手の絵って、やけに「作品1」とか「作品A」みたいにタイトルまで抽象的だった気がするけど、ああしないといけないルールでもあったんだろうか。独自性を出そうとして、かえって独自性を失ってた気がする。

魔族の世界でもああいうジャンルの絵ってあるのかな。

「ねえ、ペコラ。こういうのも芸術に入るの？」

私は詳《くわ》しそうなペコラに見せた。

「お姉様、違います」

ペコラが即座に手を左右に振った。

「これ、線に迷いもありますし、ただ、絵になってないだけです。この絵には思想もないし、力もありません。絵なのかも怪《あや》しいです」

予想外の厳しい意見……。そこまで言わなくても……。

多分、こういうのを芸術でしょって言われて、イラッとくる経験でもあったんだろうな。

しかし、この絵、自画像のコーナーにあったんだけど、どこが自画像なんだ？

本人はこう見えているのか。それともぐちゃぐちゃな内面でも表現してるのか。

「むっ！　アズサ様、その絵と同じ作者ではありませんか？」

ライカが出してきた絵も乱れた線が続いてるだけの作品だった。

「うわ、ひどいな……。その絵のテーマって何なの？」

「『こうなったらいいな　未来の魔族の世界』というお題です」

「この作者の思い描く未来が怖い！」

「おい、アズサ！　二枚の絵の作者の名前をチェックしてみよ！」

ベルゼブブに言われて、名前の欄を見る。

「いや、私、魔族の文字ほぼ読めないんだよね」

「違うぞ。魔族の文字ではないのじゃ」

えっ？　まさか？

賢スラがその文字を見て、跳ねまわった。

すぐにミユもやってきた。

「ヤバ！　粘土板の文字と同じじゃん！」

あんな文字を書ける人はおそらく、ほかにいない。

「しかも、これ、神様専用の特別な文字じゃん。だから、発音がまったくわからなかったんだよね～」

「ちょっと貸してみよ！」

すぐにニンタンがその名前の欄を確認した。

「昔の文字でデキアリトスデと書いておる。こやつじゃ！」

それはまさしく旧神の名前だ！

「住所の箇所に何か書いておらんか？　場所がわかるかもしれぬ！」

今度はニンタンはイラストの後ろ側をめくった。

「『約束の丘ホテル５０５号室』と書いておるの。そんな名前のホテルはあるのか？」

「地底都市ヨーストトスの中でも高台に建つ最高級ホテルの名前ですよ～。安い部屋でも一人七万コイーヌはしますね」

ペコラがそう言った。

ついに旧神の居場所がわかった。

「やはり、どんな策でも試してみるべきなのですね……」

ライカが感心するような、あぜんとするような表情でそう漏《も》らした。

「ほんとに結果オーライだよね」

◇

私たちはすぐにそのホテルへと向かった。

ホテルの支配人から宿泊者の顔も教えてもらった。

支配人からは「すごく下手な絵みたいな顔をしていた人でした」と言われた。支配人が客を許して使っていい表現ではない。

もう少し細かく聞いていくと、顔も体もすべてが見ていると不安になるぐらい、乱れているらしい。しかも、毎日ちょっとずつ違うゆがみ方になっているとか。

あの下手というか何かよくわからないイラストを見せたら、「まさにこんな感じです」と言われた。

「じゃあ、自画像は上手だったんですね、この神様～」

メガーメガ神様が変な納得の仕方をした。

「よーし！　今から力比べに行くのだ！」

「いや、フラットルテ、危ない！　せめて作戦を立てなきゃ！」

結局、その客は朝に朝食を部屋まで運んでもらっているので、その時を狙《ねら》おうということになった。

「今から踏み込んで、逃げられて夜になると捜しづらかろう。ここは早朝という一番油断していそうな時間を狙うべきである」

神が作戦を言うと、なんかみみっちく聞こえるな……。

◇

ゆっくり眠って体力を回復した翌朝。

私たちは旧神が宿泊しているという部屋に向かうことにした。

といっても、全員でドアから入っていくのではなく、ドラゴン二人にベルゼブブ、ペコラはホテルの窓側で待機させている。

もし窓から飛び出して逃げた時に追跡してもらうのだ。

部屋から入るのは私と神様二人だ。

ゆっくりと廊下を歩いている。

「うぅ……緊張する……」

なにせ相手は恐ろしい神だ。何をしてくるかわかったものじゃない。

「大丈夫ですよ、アズサさん。絵の上手さならアズサさんが勝ってます」

そこでマウントをとっても何の意味もない。

「あの、メガーメガ神様はそのデキアリ……旧神が何者かは知らないんですか？」

名前が特殊なので忘れてしまった。

「私はこの世界に元からいたわけではないですからね～。まっ、ニンタンさんの同僚だから、ニンタンさん程度の力なんでしょう」

ニンタンがイラッとした顔をしていたが、理屈から言うと、そうなりはするよね。

本当にニンタンと同程度なら、ニンタンとニンタンに一応は勝ったことのある私がいれば、勝ち目はあるだろう。

「デキアリトスデはトリッキーな奴であるから、何をしてくるかもわからぬ。油断は禁物である。それに――もし地底でずっと力を蓄えたりしていた場合、手がつけられんほど強くなっておるかもしれん」

うんうん、ニンタンの言うとおり、舐《な》めてかかると危な――いやいやいや、なんか不穏な発言が！

「力を蓄えて、強くなってるかもって何⁉　どうして今、言うの？」

「おかしなことは言うておらぬであろう……。知らないうちに強くなっていることはありうる！封印といっても、凍らせておったわけではなくて、地上に出てこんようにしておっただけであるしの……」

「はいはーい。もう、部屋の前ですよ」

あっ、早くもたどりついてしまった……。

メガーメガ神様は気楽な調子でドアをノックした。

「おはようございます～。朝食をお持ちしました～」

もちろん、朝食の用意などない。

神様がカジュアルにウソをついてるけど、いいのかな。相手も神様だし、いいのかな。

果たしてどんなものが出てくるのだろう？

本気で不安だ。

私はごくりと生唾《なまつば》を呑《の》んだ。

ゆっくりとドアが開いた。

さあ、その先にいるのは――――


――――スライムだった。


「え……？　スライム……だよね……？」

私の視界にあるのはあのスライムだった。

色が銀色なところが違いと言えば違いだが。

「オ～、この姿、スライムに見えるデスカ～？」

スライムらしき生物からそんな声が聞こえてきた。

「あの、あなたがしゃべってますか……？　最初に宿泊された時とずいぶんご様子が違う気がするんですけど……」

状況がさっぱりわからない。

「オ～イエ～！　前の体だと、貴様、何者だという反応をされていたので、体を別のものに変えたのデ～ス！」

体を変えたと言ったな。だとしたら、これが旧神デキアリトスデなのか⁉

ところで、このうさんくさいしゃべり方は何なんだろう……。

「それと、ワターシの言葉通じてマスカ～？　あなたたちとお会いするの初めてで、言葉に少し自信ないデ～ス」

これは……ムーの言葉が関西弁に聞こえるみたいなのと近い現象⁉

「ほほう。旧神の方は長らくこっちの世界と接点がないから、それでこういううさんくさい口調になっているんですね～」

メガーメガ神様が解説しているから、そうなのだろう。

「オ～、ワターシが神であること知ってますか～。あなた、何者ネ～？」

「アイ・アム・メガーメガ。マイ・ジョブ・イズ・ア・ゴッド」

英語で答えるな！　別に相手は外国の人じゃないから！

「アイ・ライク・フロッグス・ヴェリー・マッチ」

カエルにされまくって、カエルが好きになってる！　いや、それも伝えなくていいから！

「オ～、アメイジング！」

なんで、そっちも英語っぽく反応できるの⁉

「あの、神様……ところで、なんでスライムの格好をしているんですか？」

自分で聞いたほうがはるかに早いので、質問してみた。

「ワターシ、いろんな姿になれマース。それでこっちの世界の人の姿、コピーしてみようとシマシタ。でも、皆さんのリアクション、おかしかったデ～ス。これ、ワターシのセンスないせいかと思っていろいろトライしたのデ～ス」

そういえば、部屋の奥に謎の絵らしきものが描いてある紙が散らばっていた。

もっとも、絵と言われないと何かわからないものばかりだけど……。

「それで、このスライムという生き物は、体がシンプルでワターシでもコピーできると思って、さっきトライしたのデース！」

そういうことか！

「なるほど、なるほど～。この神様は自在に姿を変えられるものの、絵心がないので、魔族になろうとしても、正体不明の存在になってしまうわけですね。それでとことん単純なスライムになってみたと。わかってみれば、どうということのない謎ですね～」

メガーメガ神様が雑にまとめた。

「エクセレーント！　ザッツ・オールライト！」

銀色のスライムがそう発言したのを聞いた時点で、私の中にあった緊張感はすべて抜けていました。

「ところでどうしてワターシの場所、わかりましたデスカ？　フシギデース」

そういえば旧神からしたら、いきなり自分の居場所を知ってる奴が乗り込んできたことになるな。

「それは、お前の封印が解けたことに気づいたからである！」

ニンタンが旧神の前に出てきた。

メガーメガ神様としゃべらせるよりは、話が早い気はする。

おそらくメガーメガ神様の半分の時間で済む。

「久方ぶりであるのう、デキアリトスデよ！　朕の顔は覚えておるか？　お前は地底の世界を支配する存在であるから管理せんと危険――ぐふっ！」

「オ～、ノ～！」

そのスライムの旧神は思いっきりニンタンの胸にぶつかっていった！

ニンタンはその一撃を受けて、ばたんとひっくり返ってしまう。

「ニンタン！　なんか怒ってマ～ス！　怖いデ～ス！　逃げるがヴィクトリーデ～ス！」

その銀色スライムは踵《きびす》を返して（スライムに踵があるのか謎だけど）窓から外に飛び出ていった。

「まずい！　逃げられる！」

「ニンタンさん、ダメですよ。危害を加えられると思って逃げちゃいましたよ～。接し方が下手ですね～」

「そんなこと言うても、あいつが地底の変なクリーチャーをこっちに引き入れたら、シャレにならんことになるのは変わらんだろうが！　知らんかったでは済まされんぞ！」

「初対面の印象ですけど、そんな腹黒い人じゃないと思いましたよ」

「スライムの腹ってどこか言うてみい！　それに悪い奴じゃなくても問題を起こすことはあるであろうが！」

非常事態なのに神様同士で仲間割れしないで！

私は窓のほうに寄って、叫《さけ》んだ。

ベルゼブブたちがホテルの庭に立っているのが見える。

「スライムがどっちに行ったか、見てて！」

「なんじゃ？　あの銀色のスライムは新種か何かか？　というか、スライムなんか今はどうでもええじゃろ」

まずい。あれが旧神だと認識されてない。

スライムだなんて聞いてないからしょうがないか。

「あのスライムが旧神なの！　危険がない範囲でゆるく追いかけて！　できるだけ刺激しない方向で！」

旧神にこの世界を滅ぼすぞというような悪意はない——と信じたい。

もし、そんな恐ろしいことを考えているなら、とっくに実行していただろうし、普通に自己紹介してきたりもしなかったはずだ。

「ご主人様、力比べはしちゃダメなんですか？」

「フラットルテ、それは絶対にダメ！」

いきなり力比べしようと言われたら、こいつはヤバい奴だと誰だって思うぞ。相手が神だとフラットルテも無事でいられるかわからないのだ。

「朕たちも追いかけるしかないのう！」

ニンタンが私の手をつかんだ――と思ったら、そのまま窓からジャンプされた！

「うわあああああ！　行動が雑！」

「どうせ五階から飛び降りた程度で死ぬわけないであろうが」

だとしても強引《ごういん》すぎる。

「お姉様、スライムはあっちの開発前のエリアのほうに行きました！」

「わかった、ペコラ！　ありがとう！」

私とニンタン、それとメガーメガ神様が走る。

そんな私たちの頭に影ができる。

ライカがドラゴン形態になって、地底都市を飛行していた。

ここは地上と違って屋外でもずっと空が続いてるわけじゃない。ちょっと頭をぶつけそうだけど、どうにかなっているようだ。

「アズサ様、スライムはこのまままっすぐの方向です！」

「うん！　あとは私たちでどうにかする！」

旧神がどれぐらいの力を持ってるかわからないから、ライカたちには戦闘になるかもしれないところまでは来てもらえない。

そこは私と、本来ならどうにかしなきゃいけない神様たちで対処する。

立入禁止の板についてるドアを開けて先に進むと、また荒野が広がっている。

ツルハシを持っている魔族もいないので、ここは純粋に放置区域なのだろう。

そこに銀色のスライムがいた。

「オ～！　きちゃいましたデスネ～！」

「あの、旧神さん、冷静に話し合おう！　話し合えればどうにかなる！」

だが、また矢のようにビュンとスライムが動いた。

そしてまた、ニンタンのおなかに直撃していた。

「ぐふっ！　どうして朕ばかり狙われるのだ……納得いかん！」

ニンタンがその場に崩れる。ニンタンが勝てないとなると、相当の強敵だ……。

「ニンタン怒ってることだけはわかりマ～ス！　ここは逃げるがヴィクトリーなので、逃げないといけマセ～ン！」

「怒ってなくてもそんなことされたら怒るわい……。しかも……なかなかの威力ではないか……」

「やっぱり怒ってマース！」

またスライムは離れていく。

「待って、待って！　頼むから逃げないで！」

私も全速力で追う。

「ここに穴を開けて、地下に逃げ込まないとデ～ス！　そこなら見つからないデ～ス！」

それって、この下から得体《えたい》の知れないクリーチャーがわちゃわちゃ出てくることになるのではないか。

なんとしてでも止めないと……。

「ヴィクトリーしないとルーザーになるデ～ス！」

今度はスライムがメガーメガ神様に飛んでいった。

逃げはするけど、追う者は迎撃しておくという発想らしい。

「なんの！」

両手を内から外に勢いよく開くようにして、メガーメガ神様はその攻撃をはじき返した。

「おお、さすがメガーメガ神様！」

「ふふふ、私もこれぐらいならやれるんですよ」

メガーメガ神様はドヤ顔をしていたが、

「そして……これぐらいまでです」

結局、その場に膝《ひざ》をついた。

「手がじんじんします……。痛いですね……」

「神様なんだから、もう少し活躍してくださいよ！」

「大丈夫です。まだ希望の星がこちらにはいますから」

メガーメガ神様が私のほうを指差した。

「あの、あまり人の顔に指を向けるのはよくないですよ」

「あとはアズサさんにお任せします」

………本当にこういうことになっちゃうのか。

でも、この旧神が逃げると世界が大変なことになる。

やむをえないか。

「あの、スライムの神様、私たちは危害を加えたりはしません。話し合いをさせてください」

「でも、ニンタン怒ってましたデス。あのニンタンの顔は、『怒ったりせんから言ってみよ』と言って、結局怒った時の顔デ～ス」

ニンタン、そういうところありそうだな……。

「ニンタンはともかく、私のことは信用して！　そもそも、人を怒るのも得意じゃないし、適当な落としどころ見つけるほうが性《しょう》に合ってるし……」

「あなたが何者かワカリマセ～ン」

それもそうだった。

「私は高原の魔女アズサと言います。ええと……以後よろしくお願いします！」

なんか、学校に転校してきたみたいなあいさつになった。

「よくわかりませんけど、あなたもニンタンフレンドの方デースネ？　関わりたくないデース！」

「そう言いたいのはわかるけど、そこをなんとか！　あなたの行動次第でこの世界が揺らぐ事態になるから！」

「どいていただけないなら実力行使デース！」

銀のスライムが飛んできた！

本当はスライムじゃないから当たり前だけど、私の知ってるスライムの速度じゃない。キレというものがすごい。

「うわあああああっと！」

私は体をのけぞらせるようにして、その攻撃をかわした。

ずいぶん先までスライムは飛んで、また戻ってきた。

私にも軽くダメージを与えてから逃げようということか。

そのまま逃げられなくてよかったと考えるべきなのかは難しいところだ。

「ワターシのアタックかわしましたデスネ。なかなか見事な動きの神デース！」

「いや、神ではなくて、スローライフを送っている魔女です」


この局面でスローライフも何もあったものじゃないが、自己主張する分にはタダだろう。

「もう一度行きますデース！」

このスライムは信じられないほどに速い。攻撃中は、体がまん丸な状態から、トゲみたいにとんがった形に変わる。

もし、この世界に究極のスライムがいたとしたら、こんな存在なんじゃないか。

だけど、またしても私は回避した。

「あれ、かわせるものだな……」

メガーメガ神様が「アズサさん、かっこいいですよー！」と言ってくれているけど、できれば声の応援じゃなくて、実際に加勢してほしい。

「やっぱり、この世界最大のステータスは伊達《だて》じゃないですね！　いい感じですよー！　神回避の連続です！　神の攻撃を回避してるから、これが本当の神回避！」

「それが、意識して回避してるんじゃなくて……いつのまにか体が動いてるんですよね……」

ステータスが高かろうと、知らないうちに回避する能力も魔法もないはずだ。

だったら、これは何なのか。

「アズサさん、それはアレですよ」

「アレって何ですか、メガーメガ神様？」

伝わらないってわかってて言ってるだろう。


「スライムを倒し続けたせいで、その行動パターンを体で覚え込んでるんです」


「え？　そんなことあります……？　まさか……」

「そのまさかです！　相手がスライムの体をしている以上、動き方はスライムの形状によって制限されるはずです！　ならば、どう動いてくるかも読めます！」

正直言って、メガーメガ神様が言ったことなので、素直に信じられないが――

回避できていることは事実だった。

「なかなか素早いデスネー。でも、ワターシも神デース！　あなたに一発当ててみせますデース！」

旧神のスライムが不敵なことを言ったけれど――

その後も私は回避を続けた。

なんでだろう……。軌道が予測できるっていうか、どこに来るか事前にわかる。

いつのまにかニンタンも起き上がっていた。

「ふはははっ！　そなたといえども、神を超えた最終兵器にして暴力装置のアズサには勝てぬであろう！」

「変な二つ名つけるな！」

勝手に化け物にしないでほしい。暴力装置って呼ばれてる母親なんて、子供の教育に悪すぎる……。

「あと、ニンタンも手伝ってくれていいんだけど」

「スライムなどという矮小《わいしょう》なものと戦ったことなどないから、動きがわかりづらいのでパスする」

せっかく三人いるのに、一対一の戦いを強《し》いられている……。

「そ、そうか！　わかりましたよ！　ニンタンさんも私もスライムの行動が予測できないせいで不覚を取ったんです！　強すぎるスライムなんていないので裏をかかれたんです！　それって『最強の最弱キャラ』みたいな本来矛盾した存在ですから、神の手には余ったんですね！」

「もっともらしい解説ですけど、どうせいいかげんなこと言ってるだけですよね……」

「でも、アズサさんならそれも通用しませんよ！　スライムのことなら高原の魔女と言いますしね！」

「言わないです」

私に全部押しつける口実なだけのような気がする。

しかし、スライムの攻撃をノーミスで回避できているのは事実なのだった。

「あれ、おかしいデースネ……。アイ・キャント・アンダスタン！」

三十回もかわし続けたところで、スライムが動きを止めた。

「いいかげん当たってクダサーイ！　さらに加速デース！」

ビューンッ！　スライムが突っ込んでくる。

それでも、私の体はなぜか反応できていた。

目でも追えてないので、もはや能力以上の力を出していると考えたほうがいい。

体をねじって回避しつつの――

弱そうなところに軽くパンチ。

そのパンチもなかば無意識のうちに出ていた。

パンチは直撃してくれたらしく、銀色のスライムは地面に叩きつけられた。

土煙《つちけむり》がもくもく上がる。

「……スライムを倒すことに特化した体になってるのか」

三百年の経験が役に立っている。

強いスライムに出会って初めて知った。強いスライムなんて、いないからな。例外があるとしたら、ブッスラーさんぐらいだろうか。

「おお、**スライムキラー・アズサ**、でかした！」

「**スライムキラー**ならやってくれると思っていました！」

「二人で言って、変な二つ名、定着させようとしないで！」

もっとも、私の言葉のトーンは微妙に浮かれていた。

戦闘で有利なのは事実だし、このまま相手を降参させればひとまず解決になるはず！

土煙が退《ひ》くとスライムがそこにいた。

スライムの体なので、負傷しているのか、ピンピンしているのか、そういったことはわからない。

「本当に強いデスネー。アメイジング！」

「あの～、このまま負けを認めて私の話を聞いてもらえるとうれしいんですけど――」

「ですが、皆さんの話聞くかぎり、あなたがスライムに強い人だから苦戦しただけのようデース！

ワターシはどんな体にでも変身できるのデース！　違う体にチェンジするデース！」

あっ！　それだとスライムに対してみたいなボーナスがなくなる……。

「しまった！　それではまずいですね……」

「弱点を見抜かれることになるとはな……」

「神様二人がしゃべってたせいですよ！」

まずい……。一転してピンチになるのでは……。

「この世界の魔族という人たちにチェンジデース！」

スライムの体が変容していく！

その旧神の体は輝きながら、スライムから背の高いものになり——

ぐにゃぐにゃの、なんかよくわからないものになった。

よくわからないとしか言いようがない。

翼みたいなものが出てるけど地面に突き刺さってるし、尻尾みたいなものが全身から何本も生えてるし……。

とても好意的に解釈すれば、様々な要素が入ってるということでキメラと呼べるんだろうけど、キメラに対して失礼だよな。

「ふふふ、魔族になったデース！」

きっと、こんな魔族はいない。

「デキアリトスデよ、いまだにそのレベルであったか……。どこまでも下手な奴じゃ！　造型の才能が絶望的にない！」

そういえば、イラストも何なのかわからないものだったな……。

「この体で戦うのデース！　そしてあなたたちを追い払って、自由に暮らしますデース！」

こんな気持ち悪い何者かが攻めてくるのか。

「あんまり戦いたくないけど、来るなら来い！」

…………。

…………………。

なぜかデキアリトスデは動かない。

「あれ？　力を溜《た》めてる、そういうこと？　ボスにありがちな行動？」

私はなおも身構える。こういうのって、先に攻撃したほうが反撃を受けてボコボこにされがちだし……。

さあ、先に来い！


「動けないデース」


旧神が情けない声を出した。

えっ？　本当？　信じていいの？

「イメージ図が下手すぎて、生物として可動できぬのだな。ただの置物じゃ」

すたすたとニンタンが近寄っていった。

そして、まばゆく輝く光の綱《つな》みたいなものでその化け物を縛った。

「縛られて動けないデース！」

「元から動けんのだがな。それでほかの姿になって逃げることもできんであろう」

旧神の捕獲、成功しました。

◇

そのあと、無事が確認できたので、ベルゼブブやペコラ、ライカとフラットルテ、それにファートラにミユと賢スラも呼んだが――

みんな本気の化け物がいると思ってビビッていた。

なにせ、旧神がぐちゃぐちゃの体のままだったからね。

「アズサ様、夢に出てきそうです……。まさに邪神《じゃしん》ですね……」

「これだけ見ればそういう感想になってもおかしくないか」

「触るとねちゃねちゃしそうなのだ」

「フラットルテもこれとは力比べしたくないよね」

やっと話し合いの時間が持てたので、私たちはもろもろの事情を聴取したり、逆に説明したりした。

封印が解けてこの地底都市ヨーストトスに出てきた旧神デキアリトスデはひとまず、そこで遊ぶことにしたそうだ。

少なくとも、ニンタンたち神や世界に復讐《ふくしゅう》してやるみたいな気持ちは皆無だったらしい。それはホテルに宿泊してた時点でだいたいわかっていた。

「ところで、旧神さんは魔族のお金は持っていたんですか～？　あのホテル、けっこう高いですよ～？」

ペコラの質問は呑気《のんき》なものだけど、気になるといえば気になる。

「キラキラしたもの作ればいいってわかったので作りましたデース」

旧神の足下が突如《とつじょ》、金塊に変わった！

「土を金属に変化させたデース。これ持っていくと好きなだけ泊まれることになったデース」

存在そのものが錬金術……。

私たちは旧神の作ったクリーチャーの世界と、この世界をつなげることをしないでとお願いした。

最大の懸念《けねん》点はそれだったのだ。

そのお願い自体はあっさり受け入れられた。

旧神にもこの世界を積極的に破壊する意図はないし、話は早かった。

賢スラがぴょんぴょん布のキーボードを移動して、質問事項を作った。

「この世界の底には具体的にどんな者が住んでいるのかって言ってるよ～」とミユが代理で尋ねた。

「簡単には説明しづらいデ～ス。ワターシがクリエイトしたクールなクリーチャーたちが大量に楽しく暮らしているデース」

それですべてを察した。

きっと、目にしたら理性にダメージを受けるような者たちがうごめいてるんだろう……。そのクリーチャーに悪意がないとしても、出会ってはいけないのだ。

世界の底には行かないようにしよう。

覗《のぞ》いてはならないものがこの世にはあるのだ。


「さて、この旧神デキアリトスデさんの処遇ですが、ニンタンさんはどうするつもりですか？」

メガーメガ神様がニンタンに尋ねた。

神のことだから、神で決めるのが理にはかなっている。

「そうじゃのう……。封印が解けてしまったものはしょうがないし、こっちの目に見えるところで管理しているほうが安心でもあるからのう……」

「ツンデレですね～。今の世界の神として迎えてあげるって言えばいいじゃないですか」

「黙れ。**カエルになれ**」

また、カエルになっちゃった……。

「では、デキアリトスデよ、そなたは朕のところに来い。それでよいな?」

「うれしいデース! こっちのこと、いろいろ勉強したいデース!」

一時はどうなるかと心配したが丸く収まりそうだな。

「デキさん、よかったですゲロね」

「おい、そこのカエル……デキさんというのは何であるか?」

「デキアリトスデさんでは呼びづらいのでデキさんゲロ」

「悪くないデース」

旧神の呼称もデキさんで決定した。そんな近所の住人を呼ぶようなノリでいいのかと思うけど、世間的にはこの神様の名前すら知られてないから大丈夫だろう。

もっとも、まだ問題は残っていたらしい。

ニンタンが微妙な顔をしたままだ。

「この姿で連れていくのは嫌《いや》すぎるので、もっとまともな姿にしたいぞ……」

たしかに！

今の姿で、人間の世界に現れたら邪神が出たとしてパニックになる。

その時、いい案が浮かんだ。

「候補ならたくさんあるじゃん」


——一時間後。

地底都市ヨーストスで行われた『オリジナルキャライラストコンテスト』のイラストの中から、デキさんが一枚を指名した。

もちろん、デキさんを捜索するために行ったコンテストだ。

「これを旧神賞に決定しますデース！」

デキさんはそのイラストをじっと見つめた。

気持ち悪かった体が発光しながら変わっていく。

そこにはイラストと瓜《うり》二つな神格が立っていた。

大きい帽子《ぼうし》とどこか神様らしいゆったりした白いローブ。それからライトグリーンの髪。

「うん、大幅に神様っぽくなったよ」

「たしかにこういう体のほうが動きやすいデスネー」

本当に苦労したが、それも報われたようでよかった。

「ね～ね～、デキさん、この世界の底のこと、賢者として知りたいっていうか～。見つかってない粘土板もまだまだあると思うし～」

ああ、ミユにとったら、ぜひとも知りたいことだよね。

「オーライ、オーライ！　それだったらデスネ――むぐっ！」

デキさんの口をニンタンが手でふさいだ。

「それは今後、朕《ちん》がマイルドにしてから教える。こやつが直接言うと、おそらく理性に大ダメージになる」

さっき見た化け物みたいなのばっかりの世界だもんな……。

強すぎる探求心は身を滅ぼすこともあるので注意しようと思います。

品種改良リンゴの展示会場に行った

She continued destroy slime for 300 years

ベルゼブブからこんな招待状が届いた。

なお、魔族から招待状が来た場合は、「来てもいいぞ」ということではなく、「来い」という意味だ。

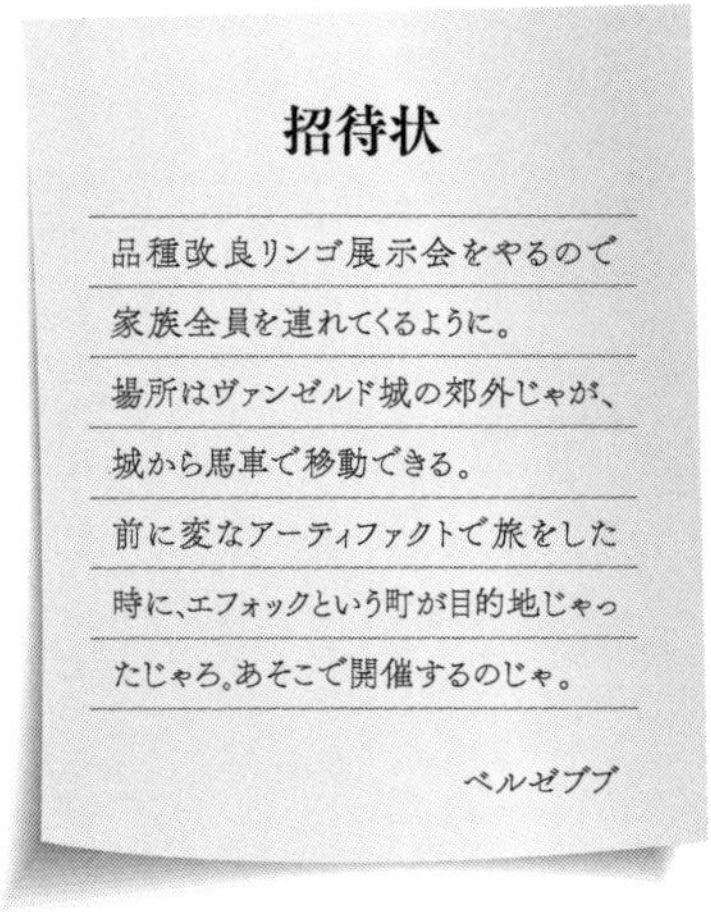
招待状

品種改良リンゴ展示会をやるので
家族全員を連れてくるように。
場所はヴァンゼルド城の郊外じゃが、
城から馬車で移動できる。
前に変なアーティファクトで旅をした
時に、エフォックという町が目的地じゃっ
たじゃろ。あそこで開催するのじゃ。

ベルゼブブ

珍《めずら》しく農相らしい告知だ。書いてある日程も、とくに問題なかったので、みんなで行くか。

これが真面目《まじめ》すぎるイベントなら、フラットルテが暇《ひま》そうにしたりするかもしれないが、魔族のことなので、また何かしら趣向を凝らしているのだろう。少なくとも、リンゴは食べられると思う。

そう考えて、私たちはヴァンゼルド城に行って、そこからベルゼブブの用意した要人用の馬車で会場に向かった。

「速い……。アーティファクトで移動した時は二泊三日もかかったのに……」

馬車と呼んでいるが、今回も車を引っ張っているのはビヒモスだ。

「そりゃ、あんなアーティファクトにたいした実用性はないのじゃ」

ベルゼブブも被害者なので、あの時のことはよく頭にあるらしい。コストも高そうだしね……。

「アーティファクトは現在、城の庭を移動する時に試験的に使われておる」

「あっ、あれでも一応は活用されてるんだ」

見た目が怪獣だったので、倉庫に眠っているとしたら少し悲しかった。

見た目にどうしてもイメージが引っ張られる。

ただ、ベルゼブブは人差し指を口に当てて、ないしょじゃぞというポーズをとった。そのポーズはこの世界でも通用する。

「使っている実績がないと、かなりの税金を使用しているので、不都合なのじゃ。そこでだまし城の中を走らせておる。意味があるというポーズが大事なのじゃ……」

「そんな裏話、聞きたくなかった……」

「魔族は元気じゃから、短距離の移動用にも使えんのじゃよな……。いっそ、人間の国に売りつけられんかのう……。小さい町の中での移動にならら使い道もあるじゃろ。脚が弱くなってきた老人向けにできんか？」

「発想は素晴らしいが、話がややこしくなりそうだな……。やるとしても、国に直接言って……」

文明レベルが魔族のせいで壊れかねないので、前面に立ちづらい。

◇

そんな話をしていると、エフォックの町のイベント会場に到着した。

また、フェスみたいなものだろうと考えていたのだが――入り口からして、もっとお堅い空気が漂《ただよ》っていた。

「なんか、色味に乏《とぼ》しいね……。白地の看板に黒でイベント名が書いてあるだけだ」

魔族の文字だから読めないけど、おそらく品種改良リンゴ展示会という意味の文字だろう。申し訳程度にリンゴのイラストがちょこんと隅《すみ》に描いてある。

「業界関係者しか来ないから当たり前じゃ。来ておるのは農家と青果店の者と、後は品種改良に携わった大学の研究者、それから農務省の連中ぐらいじゃろう」

何を今更という顔をベルゼブブがした。

「待って。じゃあ、なんで家族揃《そろ》って招待されたの……？」

そんな専門的なイベントだったら、私ですら来た意味があまりないぞ。リンゴの木を植える予定なんてない。

「そんなの、決まっておるじゃろう」

ベルゼブブが思いっきり胸を張った。

え？　いったい何だ？　サンドラがリンゴの木がほしいとでも言ってたのか？

「娘にしっかりと働いておるところを見せるためじゃ！　娘だけを連れてこいと書いたら来ないかもと判断して、家族全員で来るようにと書いた！」

「つまらない策を弄《ろう》された！」

最近、ベルゼブブが腹黒い気がする。魔族らしくなってきたというか……。

もっとも、娘たちはすでに会場の案内パンフレットを受付の魔族からもらっていた。

「かなり広そう。大変興味深い」

「植物の研究も進んでるんだね～♪　変わったリンゴもあるのかな～？」

「リンゴもおいしい実をつけるばっかりに生体実験をされて大変ね。うかつにおいしい実をつけると苦労するのよ。虫にかじられないように葉っぱに毒を入れすぎたら、かえって薬用に採取されることになった植物もあるから、難しいところだけど」

三人のうち、サンドラだけいつものように受け取り方がズレているが、つまらなそうな反応じゃないことは共通している。

「……わかった。旧神《きゅうしん》っていう大きな事件のあった後だし、今日は農相の立派な姿を私の娘に見せたらいいよ」

「うむ。アズサに言われなくてもそうするのじゃ」

今日はベルゼブブに流されるとするか。


会場は天井《てんじょう》が高いホールだ。

その中に板を張り合わせて作った仮設ブースが並んでいる構造になっていた。

「なんか、(日本にいた頃《ころ》にあった)展示会みたいだな……」

多分、どこの国でも展示会の会場ってこういう空間だった。アメリカでも中国でも、ニュースの映像で出てくる展示会はこんなのだったから、地球では全部同じようなのだったんだろう。

「展示会みたいも何も展示会そのものじゃ。いろんな農家や研究機関がリンゴに関するものを持ってきておる。広いと言うてもホール一つ分じゃ。迷うほどではないじゃろうし、好きなように見て回ってもよいぞ」

ベルゼブブがそう言っている時に、背後からシャクシャクという音が聞こえた。

ライカとフラットルテが試食用のリンゴを食べている音だった。

「これは甘みが強くておいしいですね。後味もとてもさわやかです」

「かふぁひ、うみゃいのだ」

早い……。本当に試食できるような場所だとドラゴン二人は本領を発揮するな……。

「……よう食うのう。試食ができるブースもいくらでもあるじゃろうし、好きなだけ食べればよいのじゃ」

ベルゼブブもあきれ気味だった。

だが、試食という言葉にファルファとシャルシャが反応した。

「ベルゼブブさん、アップルパイが食べられるところってある～？」

「シャルシャはリンゴのジャムがあればうれしい。ジャムはパンに塗るだけでなく、様々な使い道がある」

「うむうむ。あるぞ～。すでに要人用の対応をしておるから心配するでない。なんなら、できたてアツアツのアップルパイを持ってこさせることもできるのじゃ！」

権力を私物化している！

ベルゼブブの表情がずいぶんにやけている。度を超えて甘やかさないでほしい。

でも、リンゴ料理をいろいろ食べられるなら悪い話じゃないな。

そのあたりはベルゼブブもわかっていて呼んだのだろう。

「前の週は杉の品種改良展示会じゃったからな。まったく面白《おもしろ》くなかったのじゃ……」

「それは地味そうだな」

「一般の品種より五十倍の花粉を飛ばす杉なぞが開発されたりしておった」

「花粉症の人間を殺す兵器か！」

ちょうど目の前のブースに試飲用らしきコップがいくつも並べてあった。

中には琥珀色《こはくいろ》の液体が入っている。

「あっ、リンゴジュースの試飲もやってるんだ！　いただこうっと！」

馬車の移動中、何も飲んでなくてノドも渇いていたので、ちょうどいい。一気にいただこう。


無茶苦茶《むちゃくちゃ》、すっぱかった。


「うわ！　ノドに来た！　ノドに来た！」

「それ、リンゴ酢の試飲じゃぞ。ゆっくり飲まんと、むせるのじゃ」

リンゴ酢という選択肢は頭になかったわ……。

リンゴ酢自体はおいしかったので、ほかの家族にも好評でした。

「あ～、いいですね～。酔いが醒《さ》めるような感覚があります。リンゴ酢ですか。商品化できるかもしれません」

ハルカラが『ハルカラ製薬』の社長らしい反応を示して、リンゴ酢の関係者に名刺らしきものを渡していた。

「まさか、このイベントが仕事に結びつくとは……。社長って、ある種、どんな時間も仕事につながってるんだな……」

おそらく、こういうクリエイティビティーの高い労働なら、疲れやストレスも少ないのだろう。ハルカラの日常を見るに、ストレスがたまりそうなことはしてないと思う。

「ハルカラは時間がかかりそうじゃから、置いていくのじゃ」

ベルゼブブの対応が娘たちと比べて明らかに冷たいが、商談だと本当に時間がかかるかもしれないから、やむをえないか。私たちが後ろでじっとしてたら商談相手も何事だと思うしな……。

とはいえ、ハルカラがトラブルを起こすおそれはある。

むしろ、娘以上に取り返しのつかないトラブルになるおそれも高い。

「あのさ、ロザリー、悪いんだけど、たまにハルカラを見て報告してくれない？」

「わかりやした！　姐《ねえ》さんたちはゆっくり楽しんでってください！　アタシは食べるものもないんで、しっかり見張ります！」

ロザリーが敬礼のポーズをとって、ハルカラのほうに飛んでいった。

リンゴという題材からして、おそらくこれからも試食が多くなりそうだし、ここはロザリーにお願いしよう。


私は娘の背中を追いかける。

ファルファがベルゼブブのすぐ後ろを歩いて、その後ろをシャルシャ、さらに後ろをサンドラが歩いている。

場所柄、ここではベルゼブブに花を持たせてあげるか。私には解説できる知識がないしね。

「ベルゼブブさん、ほんとにリンゴばっかりだね～♪」

「そうじゃろ、そうじゃろ～♪　魔族の土地は全体的に冷涼じゃからのう。リンゴには向いておるのじゃ。わらわもリンゴの可能性が広がるように尽力したのじゃ」

今日はベルゼブブにドヤ顔させてあげよう。

ファルファの後ろを歩いていたシャルシャが、ぽんぽんとファルファの肩を叩《たた》いた。

「姉さん、やけに黄色いリンゴがある。見たことのない品種」

たしかにそのブースには真《ま》っ黄色の、リンゴらしからぬ色のリンゴが置いてあった。

試食用にカットしたリンゴも用意されているので、熟する前というわけでもないのだろう。

「ああ、そのリンゴはな、農務省の新種開発チームが時間をかけてのう――」

ベルゼブブが説明をしているけど、先に試食したほうが早いな。

「いただきまーす」と私は試食用のリンゴを一切れ、口に入れた。

で、すぐにこう反応した。


「オレンジ味だ、これ！」


食感はリンゴなのに、味は完全にオレンジ……。脳が混乱する……。

「せっかちな奴《やつ》がおるせいで説明が省けたのじゃ。それは魔族の土地では生産が大変なオレンジを気軽に楽しめるように品種改良をしたオレンジ味リンゴじゃ」

「品種改良ってそんな簡単にできるものなの……？」

「じゃから、苦労したはずじゃ。まあ、農務省の中でも研究が専門の部署の連中がやった仕事じゃから、わらわは直接タッチしておらんがの」

ファルファとシャルシャも不思議そうな顔をしながら試食用のリンゴを食べていた。

「あっ、でも、かすかにリンゴの味がオレンジの後ろにいるよ～」

「見た目がリンゴでも味がオレンジということは、リンゴの本質は味にはないということ。どうでもいいが、長く口の中に入れていると、オレンジの味にリンゴが混じって変な味になる……」

なかなか難解な果物《くだもの》だな。

「ふっ、このリンゴも、ひどい生体実験をされたようね」

「サンドラ、解釈が少し怖いから、もうちょっとやわらかくして……」


その隣のブースのリンゴはものすごくあざやかな赤色だった。

「うわ～、きれいだね～。宝石みたいだよ～」

「ファルファは感性が豊かじゃの～。それは魔族の土地でも辺境の農家が長年――」

またベルゼブブの説明が長くなりそうだから、私は試食用のリンゴを口に入れた。

こっちは赤いし、正統派のリンゴだろ――

思いっきり私はむせた。

「かっっっっっらっ！　激辛！　舌がひりひりする！」

「アズサ、おぬしは急ぎすぎじゃ！　それは激辛好きな魔族用に開発された品種じゃぞ！」

「激辛にしたい料理にリンゴを入れたい局面なんてないでしょ！　用途がわからん！」

「一見、無駄に見えるものがイノベーションを生み出すかもしれんのじゃ。じゃから、意味がないなどと言ってはダメじゃ」

意識高いことを言われている……。まあ、農相だしなあ……。

ここは魔族の土地だ。品種改良も以前より味がいいとかそういった単純な次元のことじゃない。

以後、気をつけよう……。

「ふっ、もうリンゴの形をしていても、まったくの別物ね。人間で言うと洗脳されたようなものかしら」

「サンドラ、表現を弱めて」

人間にたとえられると、いちいち怖い。

サンドラが洗脳と言うぐらいに、想像を超えた不思議なリンゴが今後もどんどん出てくるらしい。

まあ、飽きそうにないということはいいことだ。

前へ前へと進んでいると、奥のほうから聴き覚えのあるリュートの音色《ねいろ》が響いてきた。

そこのブースではククが弾き語りをしていた。

「そちらではリンゴの花が咲く頃でしょうか～♪　――あっ、アズサさんたちじゃないですか！お久しぶりです！」

私もククに手を振って、ブースのほうに向かう。

「まさか、ククまでいるとは思ってなかったよ。この展示会、ミニライブみたいなことまでやってるんだ」

「いえ、私もリンゴの品種改良に携わったんで、ここのブースにいるんです」

「えっ？　吟遊詩人がどういう形で関与するの……？」

ククが試食用のリンゴを差し出してきた。

「一つ、食べてみてください」

激辛リンゴの直後だし、少し怖いが、一切れをそうっと口に入れた。

「ねえ、クク、正直に言っていい？」

「はい、もちろんです」とククが笑顔でうなずいたので、感想を言わせてもらう。


「まっずい！」


私は顔をしかめて即答した。

「というか、味が全然しない。紙を食べてるみたい……」

どんな栽培をしたら、こんな味になるのか教えてほしい。

「ですよね。これは私の悲しい曲をずっと聴かせて育てたリンゴなんです！」

クラシックを聴かせて育てた果物みたいなことをしている！

「ほら、魔王様が魔法配信をはじめたじゃろう」

「それと、音楽視聴用アーティファクトもできましたよね」

うん、この世界には動画配信と、それから少し遅れてＣＤみたいなものも生まれたのだ。ＣＤみたいなものはポンデリが開発していた。

「そのおかげで、歌手本人がおらんでも、音楽を聴かせ続けることも可能になったのじゃ。技術革新が生んだ成果じゃな」

ベルゼブブがドヤ顔して説明を接いだ。

「悲しい曲をエンドレスで聴かせることができるんです！」

ククも少し誇らしげだ。誇ることなの？

「いや、だからって、まずいリンゴ作ってもしょうがないでしょ……」

「何を言うか。音楽が味に影響を与えるということがわかったのじゃぞ。すごい発見じゃろうが」

「実験として面白いことは認めるけど……まずいものを私に食べさせないでほしい」

「ああ、ファルファとシャルシャはこのリンゴはまずいので食べんでもよいのじゃ。ものすごく渋いからのう」

「私の時も止《と》めてよ！　止めるチャンスはあったよね⁉」

やっぱり私は実験台じゃん……。

私が文句《もんく》を言っていると、また、ほかの試食用のリンゴが載っているお皿をククが持ってきた。

「これは将来、吟遊詩人デビューを目指している学生の歌を聴かせて育てたリンゴです」

差し出されたけど、手を出すのがためらわれる……。

そうだ、適任の人材がいる。

私は後ろのほうでずっとリンゴを食べていたフラットルテを呼んで、試食してもらうことにした。

音楽が関《かか》わっていることだし、フラットルテのほうが的確なコメントができそうな気がする。

「じゃあ、いただくのだ」

フラットルテはそのリンゴを同時に三切れかじった。ドラゴンは食べ方もワイルドだ。

「ううん……なんだ……熱意は感じられるけど、味としてはまだまだクオリティが低い味だな……」

「的確な解説ですね！　そうなんです！　熱意はわかるんですけど、素人臭《しろうと》さが残る味なんです！　なんていうかお客さんのことを考える余裕がなくて、自分の好きなことをやるところで考えが止まってる段階の味ですね」

果物の展示会で発生しなそうな会話！

「まっ、熱意があるのは悪いことじゃないのだ。あとはオリジナリティがもう少しあればいいんだけどな。それがこの味からは感じづらいのだ」

「ですね。私も聴いてきた音楽の種類が少ないような印象は受けました」

ライカが私に質問してきた。

「あの、これは本当にリンゴの感想なんでしょうか？」

「疑わしく思うのは私もわかる」

そのあともククはフラットルテにいろんなリンゴを試食させた。

「これは、実力派吟遊詩人が中堅と呼ばれる年代になって、少し守りに入った時期に作ったバラードを聴かせて育てたリンゴです」

「うん、安定しておいしくはあるが、インパクトが弱いのだ。ファンの人気投票などでは上位になそうなリンゴだな」

「こっちは人気のあった吟遊詩人のグループが音楽性の違いで解散する直前に作った曲を聴かせたリンゴになります」

「味、食感、果汁《かじゅう》、どれも悪くはないリンゴだが、一体感がないのだ」

「続いて、そこまでの実力はないのに、ブームに上手《うま》く乗ることができたため、まあまあ売れてしまった吟遊詩人の曲を聴かせて作ったリンゴです」

「どこかで食べたことのある味で、個性が感じられないのだ。このリンゴは二年もせずに消えるだろうな」


本当に味の感想なのか？


聴かせた曲のイメージで答えてない？

ライカも私も試食はしてみたが、その都度、どうも腑《ふ》に落ちない気持ちになった。

そして、私のもやもやをライカが言語化してくれた。

「あの、ククさん、天才的な吟遊詩人の代表曲を聴かせて作ったリンゴはないのでしょうか？」

「あ〜、そういうのはないんですよ」

「なんでだよ！」

私がツッコミを入れた。

「この理論のとおりだと、素晴らしい曲を聴かせたらおいしくなりそうじゃん！　なんで、それを試さないの⁉　それで誰《だれ》が食べても文句なくおいしいリンゴを食べさせてよ！」

しかし、ククの横にいたベルゼブブが、「ふっ」と笑った。

微妙にイラッとした。

「お前たちはリンゴという固定観念にとらわれすぎじゃ。リンゴをおいしくするということから、一度距離を置いてみよ」

「いえいえ！　食べ物なんですから、リンゴはおいしくしようとしてほしいです！」

「そうそう！　ライカの言うとおり！　なんでこっちが浅はかなことを言ってるような空気にされてるの⁉」

農務省なんだからおいしいリンゴを作ろうとしろ。

一方、フラットルテはどこか悟ったような顔をしていた。

「ご主人様、どうせリンゴってこういう味でしょうっていう前提で作ると、たしかにそれなりにおいしいリンゴは作れると思います。ですが、その考え方は長い目で見るとリンゴの衰退を招いてしまうんです。なぜかというと、動物は必ず飽きるんです」

「いや、リンゴって流行が過ぎたら誰も食べませんってものじゃないと思うよ⁉」

なんか、音楽の話みたいになってるけど、リンゴの話だよね？

私、知らないうちに音楽の話をしていたりしないよね？

フラットルテはククのほうを向いていた。

「いいか。お客さんや農協の意見を取り入れる姿勢は大事だが、お客さんも農協も意見に責任はとれないのだ。ある日突然飽きて去っていくかもしれないし、甘いリンゴよりすっぱいリンゴがおいしいと言い出すかもしれないのだ。最後は生産者が自分を信じて、これだというリンゴを作るしかないのだ」

「わかります。甘いリンゴしか作ってないリンゴ農家は突然すっぱいリンゴにはシフトできませんからね」

明らかにリンゴの話じゃなくて、音楽の話だろ。

「次は二十年ぶりに復活した吟遊詩人が、デビュー初期の代表曲を演奏したものを聴かせたリンゴを作ってみます！」

「そうだ、クク、それでいいのだ！」

私にはよくわからないところで、師弟の話が成立していた。

ライカがちらっと私の顔を見た。

「比較するのもおかしな話なのですが、アズサ様の教えは、わかりやすくてありがたいです……」

「ああ、うん……。私は普通のことしか言ってないからね……」

ずいぶんリンゴから脱線したが、この様子だとこれからも変なリンゴばかり出てくるだろうなと思った。

「ねえ、シャルシャ、あっちにリンゴの木が生えてるよ～」

娘たちはククのブースで長居をして飽きてしまったらしい。

ファルファがシャルシャの手を取って、奥へ進んでいった。

たしかに会場の隅にリンゴの木がそのまま生えている場所があった。こういうところは本当にお金がかかっていると思う。

ファルファたちが移動したので私もそれを追う。ベルゼブブもついてくる。

フラットルテとライカはもうしばらく、ククのところで話を続けるみたいだ。

おそらく、ライカもあの師弟関係にあきれつつも、何かしら学べるところがあるかもと思っているんだろう。


私がリンゴの木のほうに近づいていくと、猫耳が目に入った。

「あれ、アズサさんたちのご家族じゃないですか～。お久しぶりです」

今度はブースに猫獣人のアンデッド、ポンデリがいた。

「まさか、ポンデリまでいるなんて。ゲームとコラボできるリンゴなんて作れる？」

ポンデリは今では有名ゲームデザイナーだ。

「はい！　これを皆さんで食べてみてください」

ポンデリが出してきたのは、八等分されたリンゴだった。よくある切り分け方だ。

用心して食べないわけにもいかないので、私は一切れを勢いよく口に入れた。

ファルファもシャルシャも、それとベルゼブブも同じように食べる。

「なんだ、ごく普通のリンゴだね。ちゃんと甘くておいしいじゃん」

ファルファとシャルシャも食べながらうなずいている。ここに来て、やっとまともなリンゴを食べた気がする。

だが、ベルゼブブだけが口を押さえて、涙目になっていた。

「うぐぐ……鼻につ～んと来るのじゃ……」

今度はいったい何が起きたんだ……？

「当たっちゃいましたね～。このリンゴは八等分すると、そのうち一切れがワサビ味になる性質があるんですよ」


「どんな品種改良したらそうなるの⁉」


「このリンゴがあればパーティーでも盛り上がること間違いなしです！」

むしろ、パーティーぐらいでしか使えないのでは……。一般の食卓でそんなもの出されたら、みんな手をつけないぞ。

「きついので、口直しのできるところに行くのじゃ……。ちょうど隣の木のブースがまともじゃった……」

そういえば、木が生えているのはポンデリの場所だけじゃなくて、何箇所もあった。ということはまた違ったリンゴの木なのだろう。

隣のブースはやけにクロウラーが集まっていた。

いわゆる緑色をした蝶《ちょう》の幼虫の大型のやつだ。これでも魔族の一員である。

クロウラーたちは葉っぱを黙々《もくもく》と食べていた。

「ここはおいしい葉っぱの木を作ってるのか」

バリエーションが広い魔族らしい発想だと思った。葉っぱ目的の魔族もいるのだ。

「そうなんですよ。子供用に味も栄養もこだわりました」

そこのブースにいたのは蝶の羽を生やした魔族、ノーソニアだった。今は服飾関係の仕事をしているはずだ。

「異業種の人も容赦《ようしゃ》なく参入してきてるんだね……。リンゴって守備範囲広いな……」

「もっとおいしい葉っぱを食べてもらいたいって気持ちはありましたからね。参加させてもらいました」

たしかに幼虫時代のある人しかわからない悩みだろうし、悪いことじゃないと思う。

でも、口直しに葉っぱを食べるのはちょっと……。私たちはリンゴの果実《かじつ》のほうがいいな……。

それはベルゼブブも同じらしい。

「ノーソニアよ、人数分、実のほうを頼むのじゃ」

「はいはーい。わかりました」

ノーソニアはナイフでリンゴの果実の上の部分をカットする。

その中には大量の蜜、いや、もう液体が入っていた。

「これは大人のクロウラー用です。果実の中身がジュースになってるんですよ」


「また、いきすぎた品種改良に成功している！」


ノーソニアはそこに植物の茎を使ったものらしいストローを差した。

「はい、これでいつでも気軽にリンゴジュースが飲めますよ。この品種を栽培すればリンゴをしぼってジュースにする手間がいらないので大変便利です」

便利なのはわかるけど、ここまで植物を変形させていいんだろうかという気がする。神に容赦なく逆らっているというか。けど、魔族はニンタンのような神は信仰してないだろうし、別にいいんだろう。

サンドラはやけにシニカルな笑みを見せていた。


「ふふ、ついにこのリンゴは闇《やみ》に染まったわね。もはや植物の風上にも置けないわ」

このリンゴは大切なものを捨てたのか……。

ちなみにジュースのほうは果汁百パーセントですごくおいしかった。

ファルファとシャルシャもそのクオリティに目を見開いている。

「おお！　生しぼりですらなく、そのままジュースになっておるのじゃ。最高に美味なのじゃ」

ベルゼブブも口直しに無事に成功したらしい。

私たちはノーソニアのところのスペースのテーブルでしばらく休憩した。

「ジュース、いいな～。これこれ。こういうのがほしかったんだよ～」

「ジュースだからこそ、そこそこ奥に配置したのじゃ。ノドが渇いた頃にジュースのところに到着するというわけじゃ」

ああ、そのあたりの配置もしっかり考えてるんだな。


――と、また隣のブースに意識が行った。

どうも何かが活発に動いている気配がしたのだ。

そちらを見ると、リンゴの枝がやけに動き回っていた。

「え……。これ、何が行われてるの……？」

気になるので、そちらのブースに行ってみた。

そこではブッスラーさんがリンゴの木と向かい合っていた。

「よっ！　ほっ！　はっ！」

そして、襲いかかってくるリンゴの枝を首を動かして見事に回避していく。

よく見ると、リンゴの枝についている果実は真っ黒でほとんど鉄球のようだった。

「皆さん！　このリンゴの木が一本あれば一人で簡単にトレーニングができます！」

「また、変な品種改良をしてる！」

「このリンゴは自分の果実を何があってもやらないぞという気持ちで生えています！　なので誰かが近づくとこうやって武器と化した果実をぶつけてくるんです！」

「いや、大事な果実を武器にしちゃダメだろ！」

そのツッコミにブッスラーさんがこちらを向いた。

「あっ、アズサさんじゃないですか。どうですか？　人間の国の道場でほしい方がいればお送りしますよ？」

「道場に知り合いはいないからわからないよ。あと、今はよそ見しないほうが――」

私の言葉は途中で止まった。

ブッスラーさんの頬《ほお》に重そうなリンゴが直撃した！

「ぶぐおっ！」

ブッスラーさんがいい一発を喰《く》らって、ダウンした。

「い、いいパンチでした……。軽く脳震盪《のうしんとう》を起こしてしまいましたよ……」

「ほら、言わんこっちゃない！」

そのブッスラーさんのところに何体かのスライムが近寄っていった。

おそらくブッスラーさんになついている「月謝不要」(これがスライムの名前)だろう。

「アズサよ、隣のブースは食べるためのリンゴではないぞ――おっ、ブッスラーの奴め。見事にグロッキーになっておるの」

ベルゼブブは淡々《たんたん》としている。

リンゴの木が攻撃してくることには、さほど驚きはないらしい。

「久々に魔族の恐ろしさを感じた。悪ノリがとんでもないよね」

「ようわからんが、おぬし、褒《ほ》めておらんじゃろ」

ベルゼブブにジト目で言われた。


そのあともベルゼブブに連れられて、私たちはいろんな奇妙なリンゴのブースを見学した。

ベルゼブブは相変わらず、娘たちに甘かった。

ライカとフラットルテはノーソニアのところでジュースを大量に飲んでいた。

ハルカラはリンゴ酢の商談が佳境に入っているとロザリーが教えに来てくれた。やっぱりビジネスの話はそれなりに時間がかかるな。

私のほうはというと――

リンゴ以外のところで意外な発見があった。

様々な魔族がベルゼブブのところに来て、あいさつをしていたのだ。

「農相、お越しになってたんですね」「農相、おかげさまでいい眠りリンゴができました」「農相、先月の会議ではお世話になりました」

それに対してベルゼブブは余裕のある態度で一つ一つ対応していた。

「ああ、大臣としての仕事もしっかりやってるんだね」

「なんで見直したというような顔をしておるのじゃ。大臣なのじゃから仕事をしておって当然じゃろうが……」

普段、大臣らしくないところを見せられてるからな……。もっとも、高原の家に来るということは大半がオフの時だろうから、大臣の顔をしてないのは当然と言えば当然なのだけど。

「ベルゼブブさん、立派だね～」

「シャルシャは目を見開かされた」

「あなたもそれなりにやるじゃない」

娘たちも尊敬の眼差《まなざ》しを注《そそ》いでいる。おかげでベルゼブブがまたにへらにへらした顔になって、威厳が下がった。

「そうじゃろ、そうじゃろ。わらわはいつも娘たちのために働いておるんじゃぞ～」

「そこは魔族の農相なんだから、魔族の国のために働いてるって言ったほうがいいぞ……。娘のためだって公的なところで言ったら失言だぞ……」

まあ、ベルゼブブも普段はこつこつと地道な仕事をしているからこそ、こんなイベントも開けるのだろうな。

ベルゼブブの役人としての歩みを詳《くわ》しくは知らないが、きっと堅実に昇進していったのだろう。

その時、やけにバタバタした足音が響いてきた。

「上司、上司～！　ふう、やっと見つかりました！」

ヴァーニアが小走りでやってきた。この子の本来の仕事はベルゼブブの秘書だから、そっちの方面で何か用事があったのだろう。

「なんじゃ。イベントはわらわがおらんでも回るようになっておるはずじゃぞ。それとも緊急の会議でも開くから、農務省の庁舎に戻ってこいという話か？」

ヴァーニアは手を横に振った。

「いえ、そういうのじゃありません。ただ見方によっては、もっとまずいかもしれないやつです。あっ、アズサさんもいらしてたんですね！　お疲れ様です。リンゴばっかりで飽きたりしませんか？」

「うん、こんにちは。私のほうはいいから、ベルゼブブにトラブルの話をしてあげて……」

呑気《のんき》に私にあいさつしてきた感じからすると、そんな大事ではないと思うけど。

「それでヴァーニア、何があったのじゃ。はよう言うてみい」

ベルゼブブもちっとも緊迫した様子はない。

仕事のほうはきっちり片付けて、ここに来たという自信がうかがえる。

「いえ、それがですね……会場にあのお二人が来てます」

「変にもったいぶるな。どのお二人なんじゃ。それでは誰かわからぬのじゃ」

お二人という表現からすると、ペコラではないな。

「ほら、お二人といえば、あのお二人ですよ。上司の天敵と言ってもいいお二人です」

「だから、誰じゃ。政敵は過去につぶしたし、コンビで攻撃してくる奴なぞおらんかったぞ」

ヴァーニアは少し声のトーンを落として、言った。


「……ご両親がいらっしゃってます」


ベルゼブブの顔が即座に青ざめたものに変わった。

私の耳にはしっかりと「ご両親」と聞こえた。

ステータスが高いので小さな声でも聞こえてしまうのだ。

「すぐに確保して、展示会場の会議室にでも押し込んでおけ……。途中でエンカウントすると厄介《やっかい》極《きわ》まりないのじゃ……」

「そうは言っても、出展者側じゃないので、会場のどこにいるかまではわかりませんよ……。ただ、農務省の職員からやけに幅をとる帽子《ぼうし》をかぶってる人がいたという連絡を受けましたので、多分正解だろうと……」

「あんな田舎《いなか》臭い格好でうろついてる奴はおらんからのう……。残念ながら、わらわの親で当たってるじゃろうな……」

私にとっては純粋に興味の湧《わ》く話だ。娘たちには聞こえないようにちょっと音量を下げて言った。

「えっ？　ベルゼブブの両親が来てるの？　会いたい、会いたい。なんだかんだでベルゼブブに

お世話になってるし、お礼を言っておきたい。私の娘にお土産《みやげ》もいろいろ買ってきてくれてるわけだし」

「そこで社会人らしいことは考えんでよいわ！　マジで会わせんからな！」

「ちなみに、あなたの親もそんな口調なの？　どんな親か、本当に気になる。いかにも貴族ですって雰囲気だったりする？」

「余計な詮索《せんさく》をするな！　おぬしに話すことは何もないのじゃ！　家庭の事情に首を突っ込んでくるな！　だいたい、わらわは庶民の出身と言ったことあるはずじゃぞ！　わらわの屋敷に来た時に言ったぞ！」

「そういや、そうだったな……」

どうしてもベルゼブブの尊大口調に引っ張られて忘れてしまう。

それはそれとして、この拒絶の仕方だと、親にはガチで合わせたくないらしい。

ベルゼブブもどうしたものかと考えているようだ。頬をぽりぽりかいていた。

やむを得ないと思ったのか、ヴァーニアの腕を引っ張って、娘たちのところに向かった。

「娘たちよ、申し訳ないのじゃが、わらわは急用ができたのじゃ。今からはヴァーニアが案内するからのう……。どんなことでもこのヴァーニアがやってくれるから遠慮はいらん」

娘との時間を削ってまでということは、相当なことだな……。

「もし、ヴァーニアが娘の案内をちゃんとできんかったということがわかったら、農務省のほうで処分するのじゃ」

「上司！　公私混同しすぎですよ！」

いくらなんでも冗談だと思うけど、案外本当かもしれない……。

「そうなの。お仕事大変ね。リンゴが反乱でも起こしたのかしら」

「ベルゼブブさん、お疲れ様～！」

「とても有意義な時間だった。エスコートに感謝したい」

娘たちは何か仕事が入ったのだろうという反応のようだ。ヴァーニアは声を小さくしてベルゼブブの親のことを言ったから、親が来ているとは思ってないはずだ。

私はどうしようかな。せっかくだし、ベルゼブブについていくか。

でも、すぐにベルゼブブがこちらを振り返った。

「おぬしも来てはならん！　何があろうとダメじゃ！」

「その反応だと相当だな……。そんなに家庭の事情が複雑なんだったらやめておくよ。あいさつぐらいはしておきたかったんだけどな……」

「待て、別に暗い過去があったりするわけではないのじゃ。普通に育てられたし、今も親とケンカしとるわけでもないからの？　純粋に会わせたくないだけじゃぞ……。余計な勘繰《かんぐ》りをされるのもムカつくのじゃ……」

「ああ、うん……。親と子の関係って、外部から見れば何も問題ないようでも、当事者にとってはややこしかったりするものだし、そのへんはわかる」

そういうのは人間だろうと魔族だろうとエルフだろうとドワーフだろうと共通して存在する問題

なのだろう。

「そうじゃ。では、おぬしは娘たちの面倒でも見て――」

――と、前のほうからやけに大きな麦わら帽子をかぶった人がやってきた。

とにかく大きいので目立つ。私の視界にもはっきりと入った。

「ねえ、ベルゼブブ、あの帽子って親なんじゃない?」

即座にベルゼブブが後ろを振り返って――

すぐにこちらに向き直った。

とことん青ざめた顔をしていた。

昔のゲームの敵キャラってカラーバリエーションを変えて序盤の敵と中盤の敵と後半の敵を分けていたりしたが、ベルゼブブと同じグラフィックの違う奴と思うほどに顔色が変わっていた……。

「お~、ベルゼブブ、元気にやっとるべや~?」

それはどことなく、ベルゼブブに似た雰囲気のある男女の魔族だった。どうやら夫婦らしい。

それと、全体的に田舎から来た人という空気がある。まあ、リンゴ農家の魔族が参加していてもなんらおかしくないイベントだけど。

ベルゼブブの表情が虚無《きょむ》になっていた。

こんな表情のベルゼブブは初めて見た。

「ひ、人違いですじゃ……。ベルゼブブではありませんですじゃ……」

そのままよそよそしく去っていこうとする。

「娘の顔ぐらいわかるべや。うちの店でも、変わったリンゴを置こうかって話になってんだべな。のう、ベルゼブブ、ええリンゴ教えとくれや～」

おじさんの魔族がそのままベルゼブブに話しかける。

あっ、今、娘って言った……。

「ベルゼブブ、あんはらほんはら、べろんだりびー」

今度は女性の魔族のほうが何か言った――が、何を言ってるかまではわからなかった。地方の言葉かな……？

今度はベルゼブブが顔を両手で覆《おお》った。

そこまでショックを受けるようなことなのか？

それから、おじさんの魔族が私のほうを向いた。

「おお、あんたは娘の友達だべや？　見た感じ、魔族ではない感じじゃが、人間の土地の偉いさんとかだべ？」

同じように女性の魔族が私のほうを向いた。

「ベルゼブブわひょえい、ひんがなー、ほらひーよ！」

「すみません、何を言ってるのかわからないです……。私は高原の魔女アズサといって……ベルゼブブさんの友達です」

紹介方法で少し悩んだが、そう答えるのが一番無難《ぶなん》だろう。


「うあああああ！」

ベルゼブブが絶叫した。農相が出してはいけない声だったと思う。

「万事休すじゃ～！」


それからベルゼブブは私とおじさんの魔族の手を取ると――

展示場の空いている会議室まで駆けていく。

私はそのまま引っ張られていく。

「やっぱり、アズサっちゅう子だったべや。話で聞いたことあるべ～」

「めびらげんさー。はらとびー」

おじさんから話しかけられた。あと、私たちについてきていたおばさんからも話しかけられたけど、こっちは聞き取れない……。

「あ、そうです。高原の魔女をやってます。あの、ベルゼブブさんのご両親ですよね？　娘さんにはいつもお世話になっています。ご両親はベルゼブブさんとはけっこう雰囲気が違うんですね」

おじさんの魔族が爆笑した。

「そりゃ、そうだべ！　うちはありふれた農家だべや。娘は演技過剰だべ～！」

「ばやんな、ばやんな～。べらはしー！」

おばさんのほうも何を言ってるかわからないが、笑っていることだけは確実だった。

「な、なるほど……。それと、お母さんのほう、何を言ってるか聞き取れません……」

「アズサよ、おっかあは『我が家は飾らない農家です』と言うておるのじゃ……。聞き取れないのは当然じゃ。ヴァンゼルド城下町の者もほぼ誰も聞き取れん」

急展開すぎて、何から尋《たず》ねていいかよくわからん！

だけど、まずはこれは聞いておきたい。

「ねえ、ベルゼブブ、あなた、母親のこと、おっかあって呼ぶの？」

「アズサよ、それ以上言うたら、永久に許さんからな」

あっ、ここは黙ったほうがいいな……。

空いている会議室で私はベルゼブブから説明を受けた。

「昔からこういうキャラでないことはすでに語ったことはあるがのう、だからといって、こいつら二人を見せるのは嫌《いや》じゃったのじゃ……」

それから、ちらりとベルゼブブは両親の顔を見やった。

「恥《は》ずかしいのは田舎ではなくてこいつらじゃ！」

「何も恥ずかしいことないべや。こっちの経営もええ塩梅《あんばい》でやれてんべな」

「黒字でほいさっさのさー！　さささのほいや！」

また、ベルゼブブが顔を赤くした。

「違うわい！　経営状態のことは言っておらん！　お前らを見せるのが恥ずかしいのじゃ！　しかし、完全に知られたわい！」

もう一度頭を抱えたあと、ベルゼブブは何か紙らしきものを私のほうに差し出した。

「誓約書を書いてくれ。このことはほかの者には言わんとな」

これは約束破《やぶ》ったら、友情も破れるタイプのやつだ。

「……うん、黙っておきます。……誓います」

親と子の問題はなかなか複雑だなと思いました。

◇

その日の展示会は無事に（？）終わった。

明日も明後日も開催はするらしいが、私たちは今日、ヴァンゼルド城に戻って、翌日帰る。

私とベルゼブブは娘たちのところに戻った。

「ベルゼブブさん、アップルパイ、本当においしかったよ！」

「実に素晴らしい一日だった。深く感謝したい」

「うむうむ。そなたたちの笑顔がわらわの生きる活力じゃ〜」

ベルゼブブも娘の前ではにやけているが、触れられたくないものがあるんだよな。

このことに関してはフリではなく、何があっても本当に言わないでおこう。

ヴァーニアがぽろっと言いそうだけど、今のところ大丈夫だ。

「そうだ、そうだ。アズサさん」

ヴァーニアに呼ばれて、私はびくっとした。ベルゼブブの親のことを言わないだろうな……？

「アズサさんに用事がある方々が集まってますから、寄っていってください」

「え……？　どういうこと？」

私に用事があるというと真っ先に思い浮かぶのはペコラだけど、方々というからには複数なのだろう。いったい、誰なんだ？

「まさか、魔女の実力を試したいとか言ってる魔族じゃないよね？」

「違います。そもそも、魔族ですらないです」

意味がわからないまま、展示会場の裏手の原っぱに連れていかれて、ようやく理解した。

バジリスクとシカの群れが集まっていた。

「ロボ怪獣で旅をした時のみんなだ！」

まさか、わざわざ来てくれていたなんて。

私は順番にシカの頭を撫《な》でていった。それから、バジリスクの頭も。

やけになつかれていると思ったのは間違いじゃないみたいだ。

ほかの家族も楽しそうに、あるいは少しおっかなそうにシカやバジリスクの頭を撫でた。とくにサンドラはシカにかじられそうだもんね……。

「うわ～！　シカさんもバジリスクさんもリンゴ食べるんだね～！」

ファルファが目を輝かせて、リンゴをくわえているバジリスクを見つめていた。ちょっとした屋外動物園だ。

リンゴはヴァーニアが持ってきていたので、それをあげている。リンゴの展示会だから余っているものも大量にあるんだろう。

「そうじゃろ、そうじゃろ。それは文句なしにおいしい最高級リンゴじゃからのう！　どんな動物もモンスターもまっしぐらじゃ！　品種名は『悪魔のリンゴ』じゃ」

ベルゼブブも動物たちの反応にうれしそうだ。

そりゃ、農相だもんね。

秘密を抱えていても、立派に仕事してることには違いないもんね。

でも、一つ言いたいことがあった。

私はぽんぽんとベルゼブブの肩を叩いた。

「うん、なんじゃ?」

「そんな王道のおいしいリンゴがあるんだったら、最初から案内してよ!」


イロモノのリンゴばっかり連れまわされたぞ!

そして、そんな品種名のリンゴは食べてないぞ!

「そうか……リンゴの数が多いから忘れておったわ……」

「今、ちょうだい! 今、食べる!」

シカやバジリスクと一緒に食べたリンゴが、その日で一番おいしかった。

「これだよ、これを求めてたんだよ」

「そういうのしか置かなかったら、展示会にならんじゃろうが」

やっぱり王道を避けて通ったらダメなのだ——私は展示会を終えて、そう思いました。

猫カフェに行った

She continued destroy slime for 300 years

ワイヴァーンが高原の家のあたりに降りてきたので、誰《だれ》が来たのかなと思ったら、サーサ・サーサ王国のナーナ・ナーナさんが一人でやってきた。

「こんにちは。あれ？　今日はムーさんはいらっしゃらないのですか？」

外で特訓をしていたライカが声をかけた。私は洗濯物を取り込んでいた。

「はい。今日はお誘いをするだけなので私だけで事足りますし、なにせ、企画者の陛下本人がどっぷりはまってしまいまして来るのもパスされた格好です」

「はまったというのは……よもや、賭《か》け事《ごと》のようなことでしょうか……？」

ライカが不安そうな顔をした。

うん、少し前に賭け事でひどい目に遭っている人を見てるからね……。ただでさえ、ライカはそういう不良的な遊びは拒否するタイプだし。

「いえいえ。そんなものではありません。ただ、何かということはお教えできません」

「教えられない？　なぜでしょうか？」

ライカが首をかしげた。これは誰だってどういうことだと思う。

「陛下が『そのほうがおもろいやろ』と言っているからです」

文句《もんく》の付けようのない理由だった。ライカも納得《なっとく》したらしい。

「なので、悪いのは陛下です。腹が立ったら今度、関節技でもキメてください」

相変わらず口が悪いが、あのムーのわがままに振り回されても、ちゃんと仕えているあたり、優しい性格なのだと思う。

「我の力は弱い人を苦しめるためのものではありません……。立ち話もなんですし、おうちへお入りください。アズサ様、お客様が――」

「うん、もう気づいてる、気づいてる。話も聞こえてた」

私も洗濯物を取り込み終えて、そっちに寄っていった。

「ナーナ・ナーナ、あなたの立場だと、ムーに口止めされたら内容は言えないだろうから、そこは聞かないけど」

「ぶっちゃけ、たいした秘密でもないので言っちゃってもいいですけどね」

「軽っ！　そこは黙っててあげてよ！　ムーが予想以上にがっかりするかもしれないし！　私だって聞いちゃって罪悪感を覚えるようなのは嫌《いや》だし！」

「ヒントは――」

「そのまま答え言うつもりだろ！　言わないでいい、言わないでいい！」

この人、筋金入りのSなので、なかなか扱いが難しい。

「秘密を守る範囲でお話ししますと、陛下がある企画をはじめられました。店舗みたいなものでしょうか。よろしければ、どうぞ」

いかにもありそうな話だし、たしかに王様が来るほどのことじゃないような軽い話だ。

「一つだけ聞きたいんだけど。危険はない？　家族みんなで行って大丈夫？」

魔族や悪霊や神が主催するものは、一般人からするとケガをしそうになったりするものが混じっていたりする。そこだけは確かめておきたい。

「ああ、はい。大丈夫です」

ナーナ・ナーナさんは即答した。じゃあ、もう話はほぼ終わったようなものだな。高原の家に入ってもらう前に済んでしまった。


「みんな、よくなついてますから」

「……なついてる？」

謎《なぞ》の言葉が出てきた。

でも、これ以上質問すると、秘密をばらされてしまいそうなので、聞かないでおこう。
◇

後日、私たちは家族でサーサ・サーサ王国を目指した。

私はドラゴン形態のライカの背中に乗っている。その後ろにはファルファとシャルシャが座っている。

「ねえねえ、シャルシャ、何があるのかな～？」

「秘密にしているぐらいだから、何か偉大な発明でもあったのだと思う。たとえば、死者を簡単に生き返らせる魔法ができただとか、時間を巻き戻せる魔法ができたといったことが考えられる」

「すっごーい！　科学も魔法学も一大変革が起こるねー！」

娘の話がおおげさすぎる！

「二人とも、あんまり期待しないほうがいいよ……。案外、料理を振る舞うぐらいかも……。それと、死者を生き返らせるって、世界が大きく揺らぎそうだから怖いな……」

もしもそんな技術が実現したとして、多分、ニンタンだとか神が黙ってはいないだろう。まさに世界の秩序が無茶苦茶《むちゃくちゃ》になることだし。

それと、娘たちの話で意外な家族が怖がっていた。

ライカの隣を飛んでいるフラットルテに乗っているロザリーだ。ぶるぶるふるえている。

「なんでロザリーが怖がってるの!?」

「生き返らせられると、アタシのアイデンティティーがなくなっちまう……」

「悩みが人間臭い！」

「それに生き返ったら、浮いたり、壁をすり抜けたりもできなくなるし……」

「幽霊からしたら、不便な生活に逆戻りするみたいなものなのか！」

誰にとってもありがたいことって、なかなかないものだな。

「新しいお酒を開発したなんて話だとうれしいんですけどね～。南方にしかない果実《かじつ》を発酵させて、変わったお酒もできそうですし」

ハルカラは本当に相変わらずだな。ただ、ハルカラの想像ぐらいのことが可能性としては高そうだ。それなら面倒なことも起きないだろうし。

そして、私たちはトラブルもなく、死者の国であるサーサ・サーサ王国に到着した。

ちょうど、ムーとナーナ・ナーナさんが待ってくれていた。

「おう、よう来たな。早速、案内するわ。さあ、こっち、こっち……………うぐぐ……疲れる……」

ムーは私たちに背を向けて歩き出そうとしたところで、すでに力尽きそうになっていた。

「よく、それで案内しようと思ったな！」

「うっ……移動中に説明したるわ……。これは古代にサーサ・サーサ王国で流行しとった喫茶店《きっさてん》でな……くっ……動け！　一歩でも前に進めば次の一歩も出るはずや……！」

「到着前に全部話しちゃいそうだから、説明はパスでいいよ！」

結局、ムーは悪霊の力で体を浮かして、移動した。

それ以外の選択肢は最初からなかったと思う。

目的の場所に向かっている間、私はさっきのムーの言葉から正解を考えていた。

古代文明で流行していた喫茶店か……。またメイド喫茶みたいなものじゃないのかな……。

あまり古代という言葉に引っ張られてはいけない。ムーが生きていた頃《ころ》の文明はとてつもなく発展していたのだ。私が想像できるようなものはだいたいあるだろう。

それにナーナ・ナーナさんの姿がメイド服っぽいんだよな……。こんな格好の人たちが接客したら、それだけでメイド喫茶になるぞ。

でも、うかつに口に出して正解だったら無粋《ぶすい》なことになるし、ここは黙っておこう。

私の前ではムーとロザリーがしゃべっている。

「そのうちゃやろうとは思ってたんやけどな。数も集まってきて、なつかせることもできてきたし、そろそろいけるやろってなったんや」

「なつかせる？　なんだよ、それ？」

「もうすぐわかるわ。その先にゲートがあるやろ。あそこをくぐったら店や。空いてるテーブルを使ったらええわ」

たしかに木でできたアーチ状のゲートの先にテーブルと椅子《いす》が置かれている。

そして、その周辺には――無数の猫！

黒猫もいれば茶トラもいる。耳がぺたっと垂《た》れているスコティッシュみたいなのもいる！　ブリティッシュショートヘアーみたいなネズミ色のもいる！　猫なのにネズミ色とはこれいかに！

「どうや？　これが古代文明で流行してた猫カフェいうもんや。猫と触れ合いながらリラックスする、ええ趣向やろ？」

ムーがドヤ顔で言った。

なるほど……。なつかせるというのは店員（？）の猫のことだったか。

すぐ後ろから子供たちの歓声が上がった。

ファルファがまず駆け出して、それにシャルシャも続く。早速、座り込んで、猫の前に手を出したり、頭を撫《な》でたりしていた。

「かわいーっ！　猫さんかわいいね！」

「全体的に南方の猫の種類が多い。長毛種はあまりいない。もっとも、猫はどんな種類もかわいい」

いや、むしろ猫とたわむれている娘たちがかわいい。なんて素晴らしい光景だろうか。この世界にインスタグラムがあったら確実に写真をアップしていた。

「アズサは親バカね～。獣がなついてるだけじゃない」

サンドラがあきれた顔をしていたけど、その周囲には猫が集まっている。

「ちょっと、あなたたち、何なの？　猫は肉食動物でしょ？　ったく、そんなに撫でてほしいなら、撫でてあげるわよ」

サンドラもまんざらでもなさそうだ。猫のかわいさは万国《ばんこく》共通だからな。

「ムー、これはグッドアイディアだよ！　実に素晴らしい！　ぶっちゃけ今までの思い付きの中で一番いい！」

「なんや、過去にそんな変なことしたか……？」

ムーが微妙な顔をした。けど、古代文明全体を冷やす時とか、いろいろ大変だったぞ。

「王国の悪霊たちも暇《ひま》つぶしによう猫を飼っとってな。じゃあ、猫カフェもできるんちゃうかってことでスタートしたんや」

遠路はるばるやってきたかいがある。

「さてと、みんなもとりあえず席につこ――」

私はそこで言葉を止めた。


ライカがものすごく目をキラキラさせていた。


猫、無茶苦茶好きなんだな。

いちいち聞かなくてもわかる。

そういえば、真面目《まじめ》な人ほど、気ままに生きる猫が好きなイメージがある。もっとも、ただの俗説だけど。そもそも、とてつもなくだらしない人は、猫だろうと犬だろうと世話が必要なペットを飼うことなんてしないだろう。

一方で、フラットルテは一匹の紅茶色の猫とにらみ合っていた。

「お前、フラットルテ様と戦うつもりか！　いい度胸なのだ！」

「猫と力比べしちゃダメだよ！」

あくまでも喫茶店なので、メニューはあるらしく、私は悪霊の店員さんに生きてる者用のメニューを注文した。

「じゃあ、加熱処理してる井戸水を人数分ちょうだい」

なお、死者の国なので生きてる者用のメニューの種類が少ない！

「なんやフードメニューもあるから頼んだらええやろ。『黒緑色をした死の泥炭地《でいたんち》』定食もあるで」

ムーがメニュー表の絵をつついてきた。

「ここは定食メニューを注文するタイプの喫茶店ではない」

しかも、その絵、明らかにお好み焼き定食なんだよな。

『黒緑色をした死の泥炭地』というのは、お好み焼きっぽい古代文明の料理なのだ。古代だから価値観は違うかもしれないが、もうちょっと食欲をそそる料理名にしてほしい。

「なんや、せっかく生きてる奴《やつ》用にメニュー用意したんやけどな。ソース麺《めん》定食なんかもあるのに」

ソース麺というのは初耳だが、どうせ焼きそばだろ。

「そのあたりは今度来た時にいただきます」

繰り返すが、ここはがっつり食べるための喫茶店ではない。

メインはあくまでも猫とたわむれることにある。

とくにライカはすでに地面に寝転がって、その上に何匹も猫を乗せていた。

「ははは～、くすぐったいですよ。あなたは少し重いですねえ。ははは、ははは～」

「ライカの表情がやけにやわらかい……。緊張感というものが完全に抜け切ってる……」

楽しそうでなによりだが、まさかここまではまってしまうとは……。

「あっ、顔のほうに近づいてきましたね。何か我の顔がおかしいですか？　ははは～。あら、おなかの上で眠るんですか？　我はあったかいですか？　ははは～」

ライカがとろけそうだ……。

これ、猫カフェのためだけにサーサ・サーサ王国まで通いそうな勢いだな。

一方、フラットルテはテーブルでクールに井戸水を飲んでいた。井戸水はクールに飲むものではないが、飲み物のメニューが井戸水しかなかったのでしょうがない。

「ご主人様、ライカはああいうところが甘いんです。普段、堅物《かたぶつ》のふりをしてるけど、猫が集まってくるだけでうつつを抜かす。あれじゃ最強なんてなれるわけないですね」

「いや、猫にデレデレしたって何も問題ないと思うけど……まあ、普段とのギャップは激しいかな……」

ライカは猫に囲まれて、すっかり至福の表情を浮かべている。娘たちも猫と遊んでいるが、満喫している度合いでは、ライカがぶっちぎりだ。

「あのドラゴン娘に一番ウケるとは思ってなかったわ」

ムーの頭には子猫が一匹乗っている。猫から乗ったのか、ムーが乗せたのかは不明。

「ありがとうね、ムー。みんな大満足だよ」

「猫は王国では大切な存在やったからな。その猫をたくさん養うために、昔はこういう猫カフェをやってたわけや。この猫カフェでも、猫とその仲間の動物を含めて三百匹ぐらいは生活してるはずやな」

「ん？　猫の仲間の動物って、猫以外もいるの？」

その時、ハルカラの悲鳴が聞こえてきた。

「ひゃああああああああ！　やめてくださああああああい！」

見ると、ハルカラがライオンの口にはまっていて、顔だけを出していた。

「た、食べられてる！　えらいこっちゃ！」

「ああ、あれはライオンのコロザワーンやな。大丈夫、遊んでるだけや。食べたりなんてせえへんで」

ムーはごく当たり前のようにライオンの名前を紹介した。

猫の仲間の動物って、こういうことか！

「いや、あまり大丈夫に見えないよ！」

「ほら、猫でも人間の手を舐《な》めたりするやろ。それの延長線上や。ちゃんとしつけとる」

ただ、ハルカラは血の気が引いているようだった。

「うぅ……。ぬめぬめします……。生温かいです……。生物としての無力感を覚えます……」

「猫の仲間の動物は神聖なものとして崇拝しとったからな。そんなんを前にして、自分の小ささを知るのは当然のことやで」

それはもはやサイズの問題だと思う。

そこに今度はトラがやってきた。

そして、ライオンの口から出ているハルカラの顔を舐めた。

「うひゃあ！　ざらざらしてます！　意外にざらざらしてます！　なんでわたしのところは大型の動物ばっかり来るんですか！」

「あれはトラのアーキーやな。昔はトラの神を祀《まつ》ってた円形の神殿もあったんやで。ツタに覆《おお》われてもうてるけどな」

「いや、そんな説明はいいから！　あれ、本当に本当に大丈夫なの？」

「くどいやっちゃな。食わんようにはしとる！　ただ——やっぱり動物は力関係を瞬時に理解するもんやな」

ムーが悟ったようにうなずいた。

「いや、一人で勝手に納得しないでほしいんだけど……」

そこにナーナ・ナーナさんが追加の井戸水を持って、やってきた。

「ごらんください。アズサさんとフラットルテさんの周囲を」

言われて見てみるが、とくに変化はない。

でも、さらに奥に目をやると——ライオンやトラ、ヒョウといった動物が怯《おび》えたようにこっちを見ているのがわかった。

「あれ、私、なんかした……？」

「もてあそんでも許される者かどうか——獣はそれを察知するのです。たとえばフラットルテさんをぱくっとくわえたりしたら、返《かえ》り討《う》ちに遭いますからね」

「当然なのだ。もし、顔を舐めたりしたら、ただじゃおかないのだ！　トラだろうとライオンだろうと、文字どおり舐めたことをしてきたら制裁は加えるぞ！」

フラットルテが意気込んで言った。

「ライカさんに甘えたい大型の子もいるかもしれませんが、それをすると猫たちがライカさんから逃げてしまい、ライカさんが不機嫌になるおそれがあります。だから、ライカさんにも近づかないのです」

悪霊サイドの説明はわかったけど、それって――

「やっぱり、ハルカラが舐められてるってことじゃん！」

「おっ、アズサ、上手《うま》いこと言うたな。ナーナ・ナーナ、アズサに井戸水一杯追加や」

座布団一枚追加みたいに言うな。


それからハルカラはライオンの口から解放されたが、ちょっと、いや、だいぶくたびれた顔をしていた。

「うぅ……べとべとしてます……。やっぱり、猛獣は怖いですね……」

ハルカラは寝転がりながら猫とたわむれているライカの横で寝そべっていた。

「ハルカラ、災難だったね……」

「あっ、ライオンやトラの唾液って薬として売れませんかね？　入手困難だから、高級品になるかもです！」

転んでもただでは起きない商売人だ！

ハルカラの件は解決したけど、それでふと思い当たることがあった。

「ロザリーが見当たらないな。猫には興味ないのかな？」

もしや、幽霊は生きてる猫とは遊べないのだろうか。それはないはずだ。でないと幽霊だらけのこの国で、猫カフェの猫を集められないし、猫カフェの需要がないことになる。

「何言うてるんや。ロザリーの奴やったら、上で遊んどるやないか」

ムーが指を空のほうに向けた。

そこでは、たしかにロザリーがやけに楽しそうに動き回っていた。

「ひゃははは！　くすぐったいな！　やめろ、やめろって！」

「えっ？　ロザリーは一人で何をしてるの？」

「猫の霊と遊んでる」

「そういうのもあるのか！」

言われてみれば、動物だってこの世界に霊魂として留まるケースがあっても不思議はないのか。むしろ、そんな猫の霊こそ、王国の幽霊はケアをしたいのかも。

「猫の中にも未練ある奴はおるからな。うちらで保護しとるわけや。生きてる猫も死んでる猫も平等に扱ってるで」

「そのあたりはしっかりしてるんだね」

私がそんな話をしている間に、フラットルテの膝《ひざ》にも小さな猫が一匹上がってきた。

「お前は命知らずだな。だが、その勇気は褒《ほ》めてやるのだ」

フラットルテも猫が嫌いなわけではない。その猫を抱いてやっていた。

ハルカラも子猫を肩に乗せていた。

「ライオンに乗るより、自分が乗せるほうが気楽でいいですね～」

ハルカラの場合は、ライオンに乗っていたと表現するべきか怪《あや》しいけど。

あと、ハルカラのところにはやたらと子猫が集まりだしていた。どうも子猫に好かれる要素があるらしい。

ライカがうらやましそうな顔をしていた。

「ハルカラさんのことを子猫はお友達や仲間だと思っているようですね」

もしや、ライオンがハルカラを口に入れたのも、子猫と同じ庇護《ひご》対象という扱いだったのか……？

なお、ハルカラを口に入れていたライオンは、娘たち三人を背中に乗せて猫カフェの中を歩き回っていた。

「面白《おもしろ》～い！　馬さんに乗ってるみたいだよ～」

「どこかの土地に騎虎之勢《きこのいきおい》という故事がある。乗ったトラから降りたらその途端に食べられてしまう。細かいことを顧《かえり》みずに突き進むしかないような状況も時にある」

「動物に乗ると、植物が勝利したみたいで気持ちいいわね」

世間的な子供と比べると反応が特殊だけど、楽しそうだからいいだろう。

「それにしても、人間の客なんて私たちぐらいしかいないのに、メニューまで用意してくれてるんだね。わざわざ悪いな」

ムーは実体はあるけど何も飲まないし、ほかのサーサ・サーサ王国の民は実体すらない。喫茶要素は本来なら不要なのだ。

「ああ、それは勘違いの感謝やで。実体ある客はすでに来とるねん。せやから、自分らのためにメニューをいちいち用意したわけやない。今日もそろそろ来るんとちゃうか」

「あっ、今はここに魔族たちも来るもんね」

「魔族もそうやけど、どうもそれと違う雰囲気の奴も常連でおるで」

「魔族と違う客……?」

「せやせや。オープン当初から毎日のように来おるで」

ムーの視線が店の入り口のゲートのほうに向いた。

「来た、来た。あれや」

そこには巨大な毛玉が立っていた。

「あっ、あれは——オストアンデ!」

こんな異様な姿の存在を見間違えるはずがない。死神のオストアンデだ。

毛から出てきた手が、毛の一部を開いて、顔を出した。やっぱり本人だった。

「……こんにちは。奇遇だね」

「ああ、うん……。虚無荒野から出てくることもあるんだね……」

「……ここは特別」

そう言うと、オストアンデは空いている席に座って、テーブルの上にいた猫を撫でだした。

「……文学者は喫茶店で仕事するもの。……あと、文学者は猫好き」

それは偏見では……。

「なんや、アズサの知り合いなんか。そういや、変な奴やなとは思うてたんやわ」

「なんか失礼な表現だな！　ていうか、ものすごく異様なお客さんだけど、なんとも思わなかったの？」

毛で覆われてる何者かが、人間の町に現れたらちょっとしたパニックになるぞ。

「生きてるのか死んでるのかようわからんところが、変わってるなとは感じたけど、中にはどっちつかずの奴もおるやろ。生きてても死んでても客は客やしな」

神だから、生きてるか死んでるかわからないというのは事実だろうし、ムーにとったら魔族だとか人間だとかより生死の分け方のほうが実用的なのかもしれない。

「まっ、問題が起きてないならいいか」

私があれは神様だと今すぐカミングアウトするのも変だし、必要があるなら本人が言うだろう。

「アズサ様、その毛の方とお知り合いなんですね？」

寝転がっているライカが尋《たず》ねてきたが、顔が猫で隠れて見えなかった。もふもふしすぎだろう。

そういや、家族でもオストアンデのことを知ってる子はいないのだ。この機会に説明してもいいけど、神様って言っていいのかな……？

私は小声でオストアンデ本人に確認をとることにした。

「ねえ、あなたの正体のこと言っていいの？」

「……お好きなように。恥の多い人生を送ってきたけど、隠すほどではないので」

許可は得られたので、私は家族とムーに死神だということを伝えた。

シャルシャが強い関心を持って、いくつもオストアンデに質問をしていたが、それ以外の混乱はとくに起きなかった。この世界、魔族も精霊もいるしね。

「ふうん。死神やったんか。あんな姿してるんやな」

猫を抱っこしながら、シャルシャの質問に答えているオストアンデを見つめながら、ムーがつぶやいた。

「ムーも死神って聞いてもあんまり気にしないんだね。霊からすると、怖くないものなの？」

「死神が扱うんは、抜けたてほやほやの魂やろ。ずっと霊として過ごしてるうちらには関係ないで」

だとしたら、霊と死神の間で干渉することは何もないのか。

「ちゅうか、うちやなくて、死神に直接聞いたらええやろ。シャルシャと一緒に質問してこい」

それもそうなので、私も椅子を持ってきて、シャルシャの隣に座った。

「では、死神さん、この世界の霊を捕まえたりすることはないということ？」

「……そう。幽霊は幽霊としてこの世に留まることでバランスを保ってる。幽霊が減りすぎるのもよくないから」

なるほど、なるほど。霊が存在することも含めて、「普通」の状態ということなんだな。

「……ただ、もちろん幽霊は見える。こんなように」

何もない虚空《こくう》にオストアンデは触手《しょくしゅ》みたいな毛を伸ばした。

「……ここに、猫の幽霊がいる。悪霊の国だけあって、猫の幽霊も多い」

「そっか。猫の幽霊にとっても仲間が多くて楽しいのかもね」

その時、触手みたいな毛がやけにふるえた。

「……あっ。暴《あば》れている。猫の霊がやけに暴れている」

私たちの目には見えないので、わかりづらいけど、なんでそうなってるかはだいたいわかる。

「どうせ、その触手みたいなので縛ったりしてるんでしょ？　そりゃ、猫の霊も抵抗するよ……」

「……違う。ヒモ状のものに反応してやたらとじゃれているだけ」

「死んでも猫は猫なんだ！」

そのあたりの習性は変わらないんだな……。

「……ただ、ちょっと幽霊が興奮している様子はある。血の気が多い」

そのあたりも猫あるあるなんだろうな。

ヒモ状のものを追いかけたりしているうちに熱くなってきたのだろう。

触毛がやたらと揺れているので、オストアンデも手を焼いているらしい。

「……あんまり暴れないで。霊魂の状態で暴れるとよくない」

その表現は不吉な響きがあった。ある意味、死神の発言だから、深読みすると全部怖く聞こえるけど。

「よくないってどういうこと？　もしかして霊魂がばらばらになるとか？」

「……違う。霊魂に勢いがつくと、普段入らないものに入り込んでしまうようなことが」

次の瞬間――

何かが自分の頭にぶつかってきたような感覚があった！

「わっ！　何⁉」

歩いていたら突然、ボールが頭に飛んできた時に似ている。

痛くはないけど、脳が軽く揺れた。

私は椅子ごとひっくり返った。

痛みもないけど、相当びっくりした。

「……ごめんなさい。小生から猫の幽霊が勢いよく飛び出て……衝突したようで」

「幽霊って衝突するんだ……」

私は頭を押さえながら立ち上がった。シャルシャが「母さん、大丈夫……？」と片手を引っ張って起こしてくれた。まだ頭がふらつく。

「ありがとう、シャルシャ。ケガは何もないから心配ないよ。ママはとにかく丈夫だからね」

「……霊魂は幽霊にも、生きている生命にも、共にあるもの。普段は接触することはないが、霊魂のほうが元気に動きすぎると、たまにぶつかることもある」

そのオストアンデの話からすると、猫の幽霊が慌てて飛び出して、私の魂とやらにぶつかったわけか。

「興奮した猫の幽霊がこっちに偶然、飛んできたってことだね。理解したよ」

「……死神でありながら、霊魂の扱いが甘かった。……反省。恥《は》ずかしい。穴があったら入りたい」

オストアンデは毛玉の中に顔を隠してしまった。神様なのに、そこは謙虚な態度だ。

「別に怒ってるわけじゃないから、隠れなくていいって。だいたい、オストアンデのせいじゃなくて、猫のせいなわけだし」

触手が原因と言えなくもないけど、猫を過剰に熱くさせるためにやったことではないだろうし、そんな責任まで負う必要はないだろう。

「……しかし、やはり小生の油断が招いたことではあるので」

毛玉からオストアンデの声だけが聞こえてくる。

「いやいや。本当にオストアンデの責任じゃないって。しかも私はケガすらしてないわけだし」

頭に手を載せたままだけど、たんこぶだってない。

「……とはいえ、ある種、ケガなどより問題があるとも言えるわけで」

ものすごく恐縮しているな。

そこまで恐縮されると、こっちが申し訳なくなってくる。

「オストアンデに問題は何もないから！　ほら、出てきて！　罪を憎んで死神を憎まず！」

「……ご配慮、痛《いた》み入《い》る」

やっとオストアンデは毛玉から顔を出した。こんなに礼儀正しい神だったんだ。かしこまりすぎだと思うぐらいだ。

頭のくらくらもとれたので、私は頭から手を離した。

すると――


「あっ」


――と、シャルシャが声を出した。

「何？　ケガはしてないと思うんだけど。落ちた時に葉っぱでも頭についた？」

レベルMAXになって変な仕事を任されることもあるけど、体が頑丈《がんじょう》になったことはありがたいことの一つだと思う。

「母さん……**もっと問題のあるものがついてる**……」

シャルシャは深刻そうな、そのくせ、どこか苦笑いのような複雑な顔をしている。

どういうこと？

「具体的に教えて！　気になる！」

「母さん、もう一度頭に手をやってほしい」

頭に手をやる。なんか、やわらかいものが頭についている。

後ろから「自分、鏡貸したるから見てみい……」とムーに声をかけられた。

手渡された手鏡で、自分の顔を見る。

頭に猫の耳がついていた。

「うあああああ！　なんだ、これえええええええ！」

その声に、ほかの家族たちもやってきた。

「わーっ！　ママ、猫さんになってるー！　かわいーっ！」

ファルファが抱きついてきた。うん、それはいいんだけど、それどころじゃない。

ハルカラは「お師匠様、そういう趣味あるんですか」とうなずいていた。やめて。理解は示さないでいい。

サンドラは「うっわ……」と軽く引いていた。やめて。そういう反応は傷つく。

フラットルテは「ああ、なんか生《は》えましたね」と呑気《のんき》に応対した。その呑気なのもやめて。

ロザリーは「ああ、猫の魂が入っちゃいましたね」と具体的に分析した。それはそれで怖い。

そして、ライカが一番強烈な反応を見せた。

最初、ライカは私を見て、じっと無言でいたのだけど、

「ア、アズサ様……か、かわいいです……。これは……その……かわいすぎて、しんどいです……」

ぼそぼそとつぶやきながら、赤くなった顔を手で覆った。

「その『しんどい』って何？　どういうこと？」

「心が苦しいほどに、か、かわいいということです……」

これは喜んでいいのかな？　それは違うよな……。

「あっ、よく見たら、猫の尻尾《しっぽ》も生えてる！　もう、どうなってるの？」

オストアンデと目が合った。

「……気にしないとおっしゃっていただけて、ほっとした」

ああ、こうなったことをオストアンデはわかっていたわけだな。やたらと申し訳なさそうにしていたのも、これのせいか……。

「いや、私はぶつかって倒れたことを気にしないと言っただけであって、こういう特殊な状況は、また別なんだけど……」

「……ええと。……その。……ではまた」

ゆっくりとオストアンデが毛玉の中に逃げ込もうとしたので、毛を無理矢理こじ開けた。

「逃げないで！　解決法を教えて！」

「……慰謝料は払うので」

「違う！　解決法が知りたいの！　賠償は求めてないから！」

オストアンデから、どうにかして打開策を聞き出さないといけないのだが——

なぜか意識が変なほうに向いた。

オストアンデの毛の一本がふらふら揺れていた。

その毛に、しゃっ！　——と猫パンチみたいなことをしてしまっていた。

「体が勝手に！」

猫の本能みたいに、揺れ動くものに反応してしまう！

今度は――フラットルテの尻尾がばたばた動いてるのが視界に入った。

「にゃーっ！」

ぴょーんと尻尾のほうにジャンプして、尻尾をつかんでしまった。

「また、体が勝手に！」

「ご主人様、いきなり尻尾を攻撃するのはよくないのだ。尻尾への攻撃は事前の通告がない場合、反則なのだ」

攻撃をしているわけではなくて、反応してしまうんだよ……。

ふっと、空を見上げると、何匹も半透明な猫が浮かんでいた。

あれが猫の幽霊か……。思った以上に数がいる。

猫の幽霊が私の魂に一部入ったせいで、見えるようになったのか……。

「ちょっと離れていた間に、愉快なことになっていますね」

やけに冷徹な声が聞こえてきたと思ったら、ナーナ・ナーナさんが飲み物を持って、戻ってきていた。

「ちっとも愉快じゃないです」

「霊魂関係のことなら私たちは専門ですので、お話をお聞きしましょう」

ここはナーナ・ナーナさんたちに頼ったほうがいいかもな。

なにせ、オストアンデが明らかに目をそらしているのだ。確実に対処法がわかってない。

「……専門ではないことをうかつにエッセイなどで書くと、あとで大恥をかく。知らないことは何も語らないのが安全」

死神なのに、霊魂のことが専門じゃないっていうのもどうなんだ。

けど、レアケースであることは間違いないだろう。だったら、わからないということもありうるか。

「ナーナ・ナーナさん、お願いできますか？」

「語尾《ごび》にニャンとかは付けないんですね」

この人を頼って本当に正解なんだろうか……。

◇

私たちはナーナ・ナーナさんの家（正確には大臣クラスの墳墓《ふんぼ》）に案内された。

内部は空洞になっているので、会議もできる。

少しカビくさいけど、幽霊にとったら問題ないのだろう。

「猫の霊魂がアズサさんの霊魂に入っちゃったようですね。たまにある現象ですよ」

ナーナ・ナーナさんが他人事《ひとごと》のように言ったが、かえってプロの意見という気がして信頼できる。

「今のアズサさんの見た目は猫獣人と同じですが、魂で見ればまったく異なります。猫獣人の魂は当たり前ですけど、猫獣人の一つだけです。今のアズサさんは、アズサさんの魂と猫の魂が別個に入ってます」

ふむふむ。

「なので、猫の魂だけ抜き取れば元に戻ります。二から一を引くわけです」

ナーナ・ナーナさんの説明に私はうなずく。

「ああ、過去にハルカラの体にロザリーが入った時みたいなものか」

「わたし、嫌な思い出が……」

ハルカラが青い顔をした。あの時はかなり苦戦したものな……。

「でも、私って魂が強いから入れないんじゃなかったっけ？」

ロザリーがハルカラに入った時も、私には入れなかったはずだ。

ハルカラには失礼な表現だけど、いいかげんな性格の人のほうが霊魂も入りやすいとベルゼブブに説明を受けたと思う。

「いや、今回はずいぶん奥まで食い込んでるから、追い出す作用も働かんな。堅い城壁を突破して、内側の城下町で楽しくやってるって言ったらわかるか？」

「なんとなくはわかる」

城壁や堀の防御力は外側の敵を排除するもので、内側の者にとったら関係ないのだ。

「原理としては単純なもんや。猫の幽霊の霊魂を追い出せばええ。猫のほうが出たがってるなら、すぐにでも出せるやろ。知らんけど」

「ムー、この局面でだけは『知らんけど』をつけないで……」

じぃーっとムーは私の顔を凝視《ぎょうし》した。

いや、顔というよりはそのさらに奥を見つめられているような気がしてくる。

「やっぱりな」

「やっぱりって何が？」

「猫のほうが出たないって言うてるわ」

「出たくないって、なんで⁉　私っていう他人の魂があるんだよ！　落ち着かないでしょ⁉」

不運にも物好きな猫だったのだろうか。

「生きてるもんにはわからんかもしれんけど、アズサの魂は温かいんや。せやから、猫にとったら、そこでじっとしてると気持ちええねんな。生きてる猫やって、温かいところに行くもんやろ。そういうこっちゃ」

「げっ……」

私はこたつからちっとも出てこない猫を想像した。

ムーが今度はオストアンデのほうを向いた。

「なあ、自分、死神なんやろ。なんか、手がないんか？　魂のことやったら自分が一番のプロのはずやぞ」

「……浮遊してる魂なら、どうとでもできる。でも……生命の中にある魂をはがそうとすると……傷がつくかも」

また気味の悪い話を聞いたような……。

「……最悪の場合、死ぬ。死神は最初から死ぬ対象を選んで仕事してるからいいけど、今回は別……。ミスで死なれると、責任問題になる……」

「あっ、それはやらない方向でお願いします」

いくらなんでも怖すぎる。

「アズサさん」

なぜかナーナ・ナーナさんがにっこりと微笑《ほほえ》んだ。

この人、笑うこともあるんだ。珍《めずら》しいものを見た。

「ここは諦《あきら》めましょう」

「嫌だ！　諦めるのが早いよ！　しかも霊魂関係のことなら自分たちが専門だって言ったよね!?　ついさっき言ったよね!?」

「専門家だからこそ、根拠のないことを言って安心させるようなことはできません」

正論に聞こえるけど、この局面では絶対に言い訳だろ。

「だって、とくにこれといった不都合はないようですよ。今回はアズサさんの魂はすっかり保持されていて、そこに猫の魂が間借りしてるだけです。アズサさんの肉体や魂が疲労でどうにかなるなんて影響も出ません」

「すでに猫耳と尻尾が生えるって影響が出てます！」

「それぐらいいじゃないですか。あとは、せいぜいたまに言動が猫っぽくなるぐらいですよ」

さっと、ナーナ・ナーナさんが何か草を出してきた。

それは通称ネコジャラシ。少なくとも、それの仲間の植物。

ネコジャラシをナーナ・ナーナさんがひょいひょいと振る。

シャシャシャッ！

※私の手がネコジャラシのほうに伸びた擬音です。

「うっ！　体が勝手に！」

「こんな感じで猫の本能に引っ張られるケースがありますが、これも慣れます」

「慣れたくない！　それに自分の中にほかの猫がいるっていうのは異常事態だと思うし――」

また、ネコジャラシが振られた。

シャシャシャッ！

また、手を出してしまった！

「くそっ！　思いとどまろうとする時には、もう体が動いちゃってる！」

「ご主人様、フラットルテもわかります。つい、カッとなってやっちゃう時ありますよね」

「フラットルテ、それはおそらく違う」

ブルードラゴンがケンカっ早いだけだと思う。

「しかも、ご家族の一部には人気もあるようですよ」

ファルファとシャルシャが目を輝かせている。

それと、ライカはやけに顔を赤らめている。どちらかというと、私のほうが恥ずかしがりたいんだが。

「あの……みんなには申し訳ないんだけど、この姿を続けるつもりはないからね……」

「ファルファはこんなママもいいかな～」

「母さん、猫になっても姉さんと一緒に世話をする所存」

娘二人はあんまりわかってくれてない。

「その……我は落ち着かないので、元に戻っていただけたほうがいいかと……。今のままだと修行に雑念が入りますので……」

ライカからは一応、戻るべきという意見は引き出せた。でも、雑念っていったい何だ？

それと、オストアンデが「……では小生はこれにて」と帰ろうとしたので、触手をつかんで引き留めた。一応、まだいてくれ。

しかし、猫の魂を出す方法がわからないと、対処のしようがない。

「まあ、**猫に出てもらうんはできる**んやけどな」

「はぁ……。しばらくは猫耳のついた状態で過ごさないといけないのか……。常に帽子《ぼうし》かぶって生活しないとベルゼブブが来た時に笑われる……。でも、尻尾は隠せないし――――えっ？」

私はムーに詰め寄って、肩をつかんだ。

「方法ってあるの？　方法ってあるの？」

「落ち着け、落ち着け！　あるにはあるけど、二週間後なんや！」

それは二週間もかかる方法ということだろうか。

「二週間後にサーサ・サーサ王国で『猫神祭り』っていうんがある。その時に、猫の幽霊もうじゃうじゃ集まるプログラムがあるねん」

古代文明が猫を神としてあがめていたというのは本当なんだな。

「自分の中におる猫も祭りの誘惑に勝てずに出てくることはありうる。ようは、アズサより気になるものがあれば猫の魂も動くんや」

「つまり、祭りの日まで待てってことか……」

二週間か。なかなか微妙な時間だ。その間にベルゼブブが二回は来そうな気がする……。かといって、自力で猫の魂に出ていってもらう方法は思いつけそうにない。

「わかった……。猫神祭りまで待つよ」

背に腹は替えられない。

「じゃあ、決まりやな――」

そのムーの肩にナーナ・ナーナさんがぽんと手を置いた。

「陛下、こんな時は骨までしゃぶりつくしましょう」

「大臣として失言が多すぎるぞ！」

絶対にろくでもないことを考えているじゃないか。

「ご心配なく。痛くもなければ、怖くもないことです」

ナーナ・ナーナさんに心配するなと言われても、まったく安心できないが……。

「今の私に打つ手はないんだよね……」

私はうなだれた。尻尾もうなだれていた。

「……小生は今度こそ、これにて」

オストアンデが目をそらしながら、そっと去っていった。

極力関《かか》わらないぞという強い意志を感じる……。

◇

そのあと、私たち家族は高原の家へと帰った。

そして、いつもと変わらない日常がはじまった。

「はい、みんな、おはよう！」

「お師匠様、朝食から帽子をかぶってるのは変ですよ……」

即座にハルカラに指摘された。

「だって、猫耳ついてるじゃん……」

私はやむなく帽子を外して生活することにした。

猫の魂もそんな無茶なことをするつもりはないようで、表面上、いつもの生活との違いはなかった。本当に耳と尻尾が生えてる程度だ。

しかし、その些細《ささい》な違いが大問題だった。

「遊びに来たのじゃ～」

近所のスライムを倒しているところに――

フラタ村のほうから歩いてきたベルゼブブと出くわした。

早速、現れたな。

「あっ、ど、どうも……いつもと変わらぬアズサだよ……」

「…………………」

しばらくベルゼブブとの間に変な時間が流れた。

「………うおわっ！　何をしとんじゃ！　そんな趣味があったなんて知らんぞ！」

「趣味じゃない！　これには深いわけがあるの！　いや……たいして深くもないな」

私は一部始終を説明した。

その結果、ベルゼブブにも死神の話をすることになったが、別にいいだろう。

「それで猫獣人みたいな格好で生活しておるのか。おぬしもハルカラに負けず劣《おと》らずの巻き込まれ体質じゃのう……」

「ハルカラほどじゃないでしょ。それに、あなただってペコラに巻き込まれてるじゃん。お互い様じゃん」

「それは上司がそういう性格だったというだけのことで、わらわの体質とは関係ないじゃろうが。

ところで、このことは魔王様に――」

「絶対に言うな」

私は即答した。

考えるまでもないことだ。

「わかった。可哀想《かわいそう》じゃから、魔王様には言わないでおいてやるのじゃ。ありがたく思――」

「にゃーっ！」

私はぴょーんとジャンプして、スライムに猫パンチを喰《く》らわせていた。

「……話の途中に何をしておる」

「ははは……動くものがあると、反応しちゃうんだよね」

猫耳が生えてから、スライムを攻撃する時の反射神経みたいなのがよくなった気がする。

「猫獣人の生活のことが知りたいなら、ポンデリに聞いておいてやるぞ？」

「いや、別に猫獣人として生きていくつもりじゃないから！　気持ちだけいただいておく！」

「あと、ヴァンゼルド城下町に引っ越したいというなら、物件でも見繕《みつくろ》っておくのじゃ」

「引っ越す気もない！」

どうやら、ベルゼブブにとったら、猫耳が生えていると魔族の一員のように見えるらしかった。

猫の要素が入ったことで困ることもあるにはあった。

夕飯、みんながシチューを食べてる間、私はひたすら、ふーふー息を吹きかけていた。

「ご主人様、そこまでアツアツじゃありませんよ。フラットルテもあまり熱いのは好きじゃないから、ほどよい温度にしてます」

今日の夕飯はフラットルテが作った。やたらと大きなスープ皿に食材がぶっこまれている。フラットルテの料理は基本的に豪快なのだ。

「それでも熱く感じるんだよ……。冷めたらちゃんと食べるからね」

猫舌になったというか、心のどこかで湯気の立っているような料理を避けたがる部分がある。

あと、猫っぽくなってると思うことはほかにもあった。

お風呂《ふろ》もできればやめておきたいという気持ちが芽生《めば》えている。

入らずに済むならパスしてもいいかな……。自分の部屋の中でそんなことを考えた。

そこで、私は首をぶんぶん横に振った。

「いいや！　これは妥協《だきょう》しない！　強引《ごういん》に入る！　それにお風呂が好きな猫もたまにいるし！　個体差の問題だし！」

反射的な行動を除けば、自分の体のコントロールは完全にできるのでお風呂には入れた。

ただ、入浴時間はいつもよりだいぶ短かった。

「お風呂につかっても、ちっともリラックスできない……」

心の中に早く出してくれと叫《さけ》んでいる何かがあるのだ。

猫の要素があると、苦労することもあるな……。

それと、フラタ村へ買い物に行くのは遠慮した。

村の人が一人でも目撃したら、もう村全体に広まるからね。村の人はそういう話題に目がないのだ。

家族が買い物の当番を替わってくれたので、これもどうにかなった。

そして、長いような、短いような二週間が過ぎ——

私はサーサ・サーサ王国の猫神祭りというものに向けて出発した。

もし遅刻して、一年後を待てなどと言われたらシャレにならないので、時間に余裕を持って、ライカに乗って向かう。

「はぁ、アズサ様の猫生活もこれでおしまいなのですね」

「ライカ、なんでがっかり気味なわけ……？」

「我としては、その……月に一日ぐらい猫っぽくなっていただいてもいいかなと……」

「こ、断ります！」

いくらライカの頼みでもこれは聞くわけにはいかない。

◇

サーサ・サーサ王国に行くと、やけに旗や布で遺跡が飾り付けられていた。

いかにも祭りの前という空気だ。

早速、ムーとナーナ・ナーナさんに出迎えられた。

「来おったな。今年の祭りは自分がメインイベントやからな。しっかりリハーサルもしてもらうで」

「はいはい……。それで元に戻れるなら何だってするよ」

リハーサルといっても、私はほぼ置物みたいなものなので、簡単なのだ。

猫神祭りというのは、古代にサーサ・サーサ王国で篤《あつ》く信仰されていた擬人化された猫の神様の祭礼だ。

それで、猫神役として、私が抜擢《ばってき》されたというわけらしい。実際に猫耳の人間がいるほうが祭りもインパクトが出るというのはわかる。

まずは輿《こし》に乗って練り歩くルートの確認をした。それなら乗ってる人間のほうは何もしなくてもいいのではと思うが、何箇所かで声を出さないといけないらしい。

あと、祭りのクライマックスで神として託宣《たくせん》を与えるシーンがあり、その長文を暗記しないといけなかった。難易度としてはこれが一番厄介《やっかい》だった。

「これ、足下にカンニングペーパーでも用意しておいちゃダメなの？」

私は教官役のナーナ・ナーナさんに言った。

「アズサさん、我々にとったら大切な祭礼なんですよ。手を抜いていいわけないじゃないですか。異文化を尊重してください」

「うっ……。正論すぎて何も言い返せない」

伝統のある祭りなのは事実だから、適当なことはできない。

どうにかセリフはすべて言えるようになったけど、それで終わりじゃなかった。むしろスタートだった。

「はい、それではこのセリフに抑揚《よくよう》をつけて演じてみましょう」

「げっ……。そんな演劇みたいな要素もあるの？」

「当たり前です。大切な祭礼なんですから、棒読みでは困ります。それでは民もしらけてしまうでしょう。民が文句なしに猫神様だと信じてしまうような演技が必要です」

やはり、正論のため、何も言い返せなかった。

「こういうのは何度も繰り返すことが大事です。はい、まず出だしからやってみましょう」

「え、ええと………私は猫神だにゃ……」

「声が小さいです！　神様の役ですから堂々とした態度で！」

「ううう！　けっこうスパルタ！」

それでも私はナーナ・ナーナさんの厳しい指導に耐えた。

そう、自分は劇の主役なんだ。観客のみんなを感動させるんだ！

そして、猫耳状態から元に戻るんだ！

「いいですね。目に輝きが現れてきました。では、通しでもう一度やってみましょう」

「よーし、やるよ！　完璧《かんぺき》に演じるからね！　――否《いな》、私こそが神だ！」

◇

そして、いよいよ猫神祭りの当日になった。

私は猫神を祀っている遺跡から外に出て、霊たちが浮かせている輿に乗って、決められたルートを練り歩く。

衣装も猫神用のやけに派手なものになっている。

どうせ、観客はサーサ・サーサ王国の人ばっかりだろうし、噂《うわさ》が広まることもない。

リスクもないから、とことんやるべきことをやるぞ。

私を乗せた輿がスタートした。

私の視界にはこれまで見たことのないほどの幽霊が見えていた。

もしや、一斉に実体化したの？

違う。私の中に猫の幽霊の魂が入ってるせいだ。それで見物に来てる霊がすべて目で認識できるのだ。

ああ、サーサ・サーサ王国は現役《げんえき》の国なんだな。国民もたくさんいるんだ。

私は国民に向かって、手を振って応《こた》える。

「猫神様ー」「猫神様！」

そんな声もいくつも飛んでくる。

うん、悪くない。悪くない。

強制的にやらされたような猫神の役だけど、誰かのためにやってるっていうのは素直にうれしい。

やがて、輿が曲がり角に差し掛かった。

ここでセリフを言わないといけない。

私は爪《つめ》を立てるポーズをとる。


「私は猫神だにゃーっ！　もっと讃《たた》えるにゃーっ！」


恥ずかしがるな。猫神になりきっていれば恥ずかしさもないはず。

ただ、視界の先に机と椅子が置かれているのが見えた。

どうも来賓《らいひん》席みたいなものらしい。

そこにペコラの姿があった。

あっ！　まずい……。

「た……讃え……る、にゃ……」

私の声は急速に小さくなった。

輿を動かしている幽霊の一人から、「あの、もうちょっと声を張ってください」と言われた。うん、それは私もわかってる。

でも――

来賓席らしきところにペコラがいるんだよ！

うかつだった。サーサ・サーサ王国と魔族とはつながりがある。

だから、ペコラが招かれていたとしても少しも不思議はないのだ。

もっとも、もう遅かった。

ペコラがやけに身を乗り出して、こっちを見ている！

「あれ、あの神様役の方、お姉様に似ているような……。あれ？　あれれ？」

ギリギリでバレてないのか？　それとも、もうアウトなのか？

どっちにしろ、ほぼ詰んだ感じがある。

私はそのあと、何箇所かで、当初の決まりどおり、「猫神だにゃーっ！　もっと讃えるにゃーっ！

お供え物をよこすにゃーっ！」などと叫んだ。

その都度、奥のほうについてきているペコラの姿があった。

来賓席でじっとしててよ！

だが、ペコラの表情は悪だくみをしているようなものではなかった。

不審げに首をかしげているような表情だ。

どうやら他人の空似かもという可能性を捨て切れてないと見える。

おそらくお祭り用の服を着ているからというのもあるな。それで印象が変わって見えるのだろう。

ああ、それと自分の尻尾がぴょんぴょん動いていることに今更ながらに気づいた。

これのおかげでちゃんとした猫獣人だと認識されているのだ。私が仮装してるなら、付けただけの尻尾は動かないはずだからな。

ベルゼブブ、ペコラに猫獣人の状態のことを言うのは黙っててくれたんだな。

そこは約束を守ってくれたことに、感謝したい。

「よし。このまま祭りが終わるまで演じきるぞ」

やってやろうじゃないか。高原の魔女の全力を見せてやる。

ああ、高原の魔女のつもりじゃダメだな……。猫神のつもりだ。私はあくまでも猫神だ。アズサなんて魔女とは一切《いっさい》関係ありません！

「猫神だにゃーっ！　花の中には猫に毒になるものもあるから気をつけるにゃーっ！」

輿を動かしてる幽霊からも「演技がよくなってきていますよ。その調子です！」と言われた。今の私は吹っ切れてるからね。

そう、私は演じてるのですらなく、一人の猫獣人なのだ。だから、ペコラが得心のいかない顔で、パレードについてきていても問題ないのだ！　むしろ、ペコラの顔なんて知らない！　来賓の謎の偉い人ということしかわかってない！

何箇所もにゃーにゃー言って、私の乗った輿はついに最終目的地までやってきた。

ムーの墓（神殿であり住居でもある）だ。

墓といっても、いわゆるピラミッドみたいな巨大な建物だし、おどろおどろしい様子もない。

お墓の中には入らない。外側から伸びている階段を輿は登っていく。これでお墓の中段ぐらいまでは上がっていける。

その中段あたりに、広めの仮設の舞台が張り出している。

そこからは王国全体を見下ろすことができた。

この舞台で最後のプログラムが行われる。

お墓からムーが出てくる。

そして、私の輿の上に乗った。

王様のムーも神の前では下手《したて》に出ないといけないらしく、頭を下げる。

「苦しゅうないにゃ。頭を上げるにゃ」

言われたとおり、ムーが頭を上げた。

「ははー、猫神様。お久しぶりですわ〜。おかげさまでサーサ・サーサ王国もそれなりに景気ようやってますわ。もっともっと儲《もう》けていきたいんで、お力添えのほう、よろしゅうお願いいたしますわ〜」

神聖王国語が限りなくフランクな関西弁に聞こえるせいか、王様らしい威厳がない！

でも、猫神がツッコミを入れるわけにはいかない。台本どおりやらねば。

「さすが王にゃ。見事に神聖王国語を使いこなしているにゃ」

私の個人的な感想ではなく、あくまでも台本の言葉です。

「でも、私に力を貸してほしいなら、もっともっと誠意を見せるにゃ！」

偉そうなことを言っているみたいだけど、これも台本だ。

「それではいくつか猫神様のために余興をやらせてもらいますわ。まずは徒競走《ときょうそう》！」

すると、大きな歓声が遠くのほうから上がった。

舞台からは地上での様子が見下ろせた。

生前は運動神経がよかったっぽい幽霊たちが走り（？）だしている。見た目はたしかに足を地面につけるようにして進んでいる。

「さあ、走れ、走れ！　五位までに入ったもんには金が出るでーっ！」

こうやって、かけっこを見せて、猫神を楽しませるという趣向なのだ。

「ここからやったら、よう見えますやろ。高みの見物ができますやろ」

ムーは練習にはろくに参加してなかったけど、ほぼ普段のままだから、これなら練習もいらないのか。実際の王が王として立ってるだけだから、演じなきゃいけない部分もあまりない。

「そうだにゃ。絶景だにゃ」

「途中、何箇所か曲がり角があって、そこでこける奴がおりますんや。ほら、転倒した」

幽霊でも、こけることはあるんだな。

「けっこう、危ないスポーツだにゃ……」

「これは神殿で行われていたものなんですわ。エッピース三世の時にはじまったものやそうです」

「伝統はそれなりにあるようだにゃ」

一分ほどの間に上位陣はゴールして、かけっこは終わった。

「王よ、なかなかよかったにゃ。だけど、シンプルすぎて面白みに欠けるにゃ」

実際、走ってるのを見ただけだしな。

「承知しました。じゃあ、次は山車《だし》のぶつけ合いをご覧いただきますわ」

すると、王国のいろんなところから高さ十メートルはあるような山車が現れた。

その山車が互いに別の山車に向かって突っ込んでいく。

「おりゃーっ！」「隣町の奴には負けねえぞ！」「ぶっこめー！」

山車が揺れたり、ひどいのになると倒れたりする。

「とんでもなく荒っぽいにゃ！」

「猫神様は血を好むと聞いとりますからな」

邪神《じゃしん》かよ……。

「これ、王国が幽霊の国になる前は、大量のケガ人が発生してたんですけど、今はこれ以上死ぬこともないから安心ですわ。王都がキシワディにあった頃、ダンジール五世の時に取り入れられたものやそうです」

「やっぱり歴史があるんだにゃ」

やがて山車の最後の一基が残った。逆に言うと、それ以外の山車は全部転倒した。なかなか壮絶だった……。

「にゃにゃにゃ。楽しめたにゃ」

「では、猫神様、うちらの国に力を貸してくれるんですね？」

そこで私は人の悪い笑みを浮かべる。これも全部演技なので私の人が悪いわけじゃないぞ。

「まだ足りないにゃ～！　神の世界も金次第にゃ～。先立つものが必要にゃ～。誠意はコインの形をしているはずにゃ～！」


演じてて思うけど、猫神、性格悪いな……。

「さあ、誠意を見せるにゃ。それがなければこの国を守護することもしてやんないにゃ～」

ドヤ顔で私は観客に見えるように輿の上を歩き回る。もう、私も恥ずかしさを感じることなく、猫神になりきれている。

「わかりました。それでは誠意をお見せいたしますわ！」

ムーはそう言うと――

コインを私の脚に貼《は》りつけだした。

ちょっとだけひんやりするな……。コインってせいぜい手で持つぐらいしかないもんな。

「お前、いったい、何をしてるにゃ……？」

台本にあるセリフだけど。私個人の気持ちでもある。

「猫神様にお金を奉納してますんや」

そう、なんか猫神にぺたぺたコインを貼り付けるという方法でお金を奉納するらしいのだ。

スタッフの悪霊たちがやってきて、私の腕や顔にもコインを貼り付けていく。どうにも落ち着かない……。

世の中にはいろんな祭りがあるものだ……。

ぺたぺた、ぺたぺたぺた、ぺたぺたぺたぺた……。

ほっぺたに五枚目のコインが貼られたところで、私は叫んだ。

「もう、いいにゃ！　わかったにゃ！　お前たちの国の今後一層の発展を約束してやるにゃ～！」

私の目の前にムーが跪《ひざまず》いた。

「はは～！　ありがたき幸せ～！」

コインは全部はがして、輿から下で見ている観客のほうに撒《ま》いた。拾うとご利益《りやく》があるらしく、悪霊たちが群がるのが見えた。

「昔はあのコインを拾うためにケガ人もたくさん出たんですわ」

この祭り、終始、血なまぐさいな……。

それから、跪《ひざまず》いているムーの頭を私はなでなでする。

「これで、お前に神の力が備わることになるにゃ～。せいぜい感謝するがいいにゃ～」

雑なところもあるが、なんだかんだで一貫したストーリー性のある祭りではあった。

王が猫神を楽しませて、その力を分けてもらうという構図になっている。

「陛下万歳！」「無病息災！」「商売繁盛！」

観客の霊たちも思い思いのことを叫んでいる。感動のフィナーレと言ってもいいのではないだろうか。

私も猫神の役は果たしたし、これで元の姿に戻してもらえるはずだ。

だが、私とムーが乗っている輿に、ナーナ・ナーナさんがやってきた。

あれ、ナーナ・ナーナさんが来るなんて台本にはなかったぞ……。それとも、祭りの仕事は終了したからこっちに来いとでも言いに来たのか。

「猫神様、実はもう一人、力を授《さず》けてほしいという王がいるのです。特例となるのですが、力を分けていただけないでしょうか？」

とても嫌な予感がした。

かといって、ここでダメですとは言えないだろう。

どんな横暴な神だって空気を読むはずだ。

「わかったにゃ。特別サービスにゃ。そいつを連れてくるにゃ」

すぐに翼をはためかせて、ペコラが上がってきた。

とても楽しそうな表情で。

嫌な予感、的中！

「やっぱりお姉様だったんですね～♪　至近距離で見て確信しました！　とってもかわいいです！」

ばれてしまったか！

「よくわからないにゃ……。いったい、誰のことにゃ？」

ナーナ・ナーナさんが後ろで表情を変えないまま、こう言った。

「大臣の責務と考え、来賓の方にお伝えいたしました」

絶対わざとやっただろ！

私が甘かったか。

ベルゼブブに黙っていてと言うだけでは足りなかったのだ。むしろ、サーサ・サーサ王国での祭りなのだから、ナーナ・ナーナさんのほうの口止めを考えておくべきだった！

ペコラが私の前に跪いた。

「はい、猫神様、魔族にも力を分けてくださ～い♪」

こうなると、猫神として振る舞うしかない……。

「……わかったにゃ。ありがたく思いやがれにゃ」

私はペコラの頭をなでなでした。

「はぁ～。猫神様の手、温かいです～」

まあ、この程度で喜んでもらえるなら安いものだと思うことにしよう。

「もう、いいかにゃ？」

「あと、五分ぐらい撫でていてほしいです」

それはいくらなんでも長すぎるけど、もう少しだけ延長することにした。


そうしている間に、ナーナ・ナーナさんが豪華な装飾の施された箱を持ってきた。

「猫神様。本日はご足労いただき、本当にありがとうございました。ささやかなものではございますが、この献上品をお受け取りください」

「それはいったい何にゃ？」

もう台本の範囲は終わってるけど、語尾に「にゃ」をつけておく。

「ずばり、最高級マタタビで作った匂《にお》い袋です」

ゆっくりとナーナ・ナーナさんがその箱を開けた。

箱は上にスライドさせて開く構造になっていた。

その箱の奥に小さな布の袋が丁重に置かれている。

自分の本能――いや、私とは違う本能が、こう叫んでいた。

とてつもなく、とてつもなくほしい！

次の瞬間――

私の体から猫の姿をした幽霊が抜け出た！

その猫の幽霊は匂い袋のところに飛んで、至福の表情をしている。

幽霊といっても、マタタビには勝てないということか。

いわば、コタツの外側にマタタビを置いて、そっちに誘導した形なのかな。

「でも、これだけでいいなら、最初からこのマタタビ使わせてよ……」

「これは猫神祭りの時しか開けてはあかんアイテムなんや。匂いが逃げるやろ」

年に一日しか見られない秘仏みたいなものか。

「それより自分、まずは喜んだらどうや？」

ムーが私の頭のほうに目を向けて言った。

「猫の要素、なくなったで。よかったな」

はっとして、私は頭に手をやる。

そうか！　猫の霊が私から抜けていったということは——

「猫耳がなくなってる！」

続いて、お尻《しり》のほうに手を伸ばす。尻尾も消えている。

「やったー！　元に戻れたー！」

私は思わず両手を振り上げた。

そんな私に至近距離からパチパチと拍手が向けられる。

ペコラが笑顔で拍手をしてくれていた。

「お姉様、よかったですね～♪」

「……うん、いろいろあったけど、よかったと考えることにするよ」

「たまには猫耳になってくれてもいいんですよ～？」

「絶対に遠慮します」

「でも、ほかにも希望してる方はいらっしゃいますよ」

ペコラが視線を向けた先にはライカが来ていた。

それから恥ずかしそうにこう言った。

「アズサ様、たまには、猫耳もいいのではないでしょうか……？　気分転換になるかもしれません し……」

「要望が二票になっても嫌です！」

◇

祭りの後、私はサーサ・サーサ王国の猫カフェに顔を出していた。

そして、お店のライオンのおなかに頭を預けて、横になっていた。

その横になっている私のところに、ほかの猫やトラが集まって眠っていたりする。

「いや～、お祭りって終わると、やけに疲れが来るよね」

猫の一匹が「にゃ～」と鳴いた。おそらく「わかります」みたいな意味だと思う。

「癒《いや》しには猫が一番だよね～」

私は猫に囲まれながら、ゆっくりと精神を回復させている。

「なんや、とろけとるな」

そこにムーがやってきた。

「大仕事を終えたんだし、だらけるフェーズに入ってもいいでしょ」

「せやな。それ自体は何も問題ないで。でも――」

一見、何もない虚空に目をやりながら、ムーが言った。


「――また、猫の霊が入ってしまわんように気をつけや」


多分、その虚空に猫の霊がいるんだろうな……。

「そ、その時は匂い袋を貸してね……」

たしかに、この店で猫耳になってしまったので、その疲れをこの店で癒しに来て、また猫耳になっちゃったら、無限ループだよね……。

――と、一部の猫たちの顔が新しいお客さんのほうに向いた。

触手を何本も動かしている死神オストアンデが入店してきていた。

「……猫さんたち、こんにちは」

私はそうっとオストアンデから距離をおいた。

触らぬ死神に祟《たた》りなしだ……。

今年の喫茶《きっさ》「魔女の家」について考えてみた

その日はファルファとシャルシャとともにフラタ村に買い物に来ていた。

あと、サンドラも連れて。

サンドラはあまり素直じゃない性格なので、「来る?」と言っても、そこそこの確率で「今日はゆっくり光合成するから嫌《いや》」だとか言われて断られる。

だからといって、決して常に行きたくないわけでもないし、引きこもっていたいというわけでもないのだ。一日の大半を屋外の菜園で過ごしているんだから、引きこもりなわけないと言えばそれまでだけど。

なので、こまめに誘ってあげないといけない。

手がかかるとも言えるが、多分サンドラみたいな性格の子のほうが多数派なのだ。私だって幼少期はこの程度にはひねくれていた。

ファルファとシャルシャの聞き分けがよすぎるだけなのだと思う。それはそれでよい。

そして、そんなサンドラが――

「あれ、なんか村の人間の様子がいつもと違うわね」

フラタ村の雰囲気が変わってることに気づいた。きょろきょろと町を見ている。

「やけに大きな布を運んだり、何か組み立ててたり。そういえば、踊り祭りというのをやる季節だったっけ」

ぱっと答えが出たので、私はびっくりした。

「そうそう！　サンドラも覚えてたんだね。人間の行事にはあんまり興味なさそうだと思ってたけど、まさに踊り祭りの準備だよ！」

「植物は一年のこの時期に何があるとかってことはよく覚えてるの。花を咲かせるタイミングがズレたりしたら大変でしょ」

なるほど。そこは植物らしい理由なんだな。一本だけ秋に咲いちゃった桜とか、困るだろうしね……。いわば婚活《こんかつ》パーティーで一人だけ日程を勘違いして、翌日に来ちゃった人みたいなものだ。

「ママ、今年も喫茶『魔女の家』、やるんだよね？」

ファルファが期待を込めて尋《たず》ねてきた。

そう、これまで私たち家族は踊り祭りの前日祭の日に、高原の家を一日だけの喫茶店《きっさてん》にして、営業していた。

自慢《じまん》ではないけど、かなりのにぎわいを見せていると思う。ああ、完全に自慢だ、これ。自慢していない要素がどこにもなかった。

とにかく、自慢しても恥《は》ずかしくないぐらいの成功を収めてきた！

ファルファだって、成功したという自信があるからこそ、こう聞いてきたはずなのだ。

「前年よりもさらに盛り上がるようにできればと思っている」

シャルシャも淡々《たんたん》とした口調ながら、意欲的な発言をしている。

しかし、私はというと……。

「もちろん！」とは言えなかった。

かといって黙り込むわけにもいかないので、こうつぶやくように答えた。


「……う〜ん、そうだね、そろそろ喫茶『魔女の家』問題に向き合わないといけないよねえ……」


煮え切らない態度だと思うよね。

きょとんとしている二人に私はこう付け加えた。

「これは大変重大な問題だから、今夜、食後にしっかりと話し合うことにしようか」

その夜。ハルカラも帰宅して、食事も終わった後。

私たち家族は全員、自分の席に座っていた。
※なお、ハルカラが酔いつぶれると話し合いが成立しないので、お酒は一杯までにしてもらいました。

「はい、それでは今から、今年の喫茶『魔女の家』をどうするかについて、会議を開きたいと思います！」

「はーい！　ファルファは盛り上げたーい！　きっとベルゼブブさんたちも手伝ってくれると思うし！」

ファルファが挙手《きょしゅ》しながら答えた。

うん、その気持ちはものすごくうれしいよ。

あと、ベルゼブブは何も言わなくても今年も手伝ってくれそうではある。

「お師匠様、ハルカラ製薬博物館の前にもスペースはありますよ。ナスクーテの町のほうはお任せください」

ハルカラは稼《かせ》ぐ気満々といった様子だ。

「アタシはムーに頼んでみますね。サーサ・サーサ王国も何かやってくれるかもしれやせん！　むしろ、何かやらせろって言ってくると思います！」

ロザリーの提案も大変うれしい。みんなやる気が感じられる。

だからこそ、私は心苦しい！

「あのね！　問題はそこなの！」

私は立ち上がって言った。

「去年の時点で喫茶『魔女の家』は大成功してた。でも、大規模なものになりすぎてる。リヴァイアサンになったヴァーニアがテーブルや椅子《いす》を運んできてくれたぐらいだったし。もはや、喫茶店って呼べる次元じゃなかったんだよね……」

規模だけだと、巨大ビアガーデンみたいだった。

ベルゼブブが連れてきた魔族たちも設営をしていたから、当日に働いていた人員の数も正確には覚えてないぐらいだ。

「あのね……私が本来目指していたのは、『ほっと一息つける隠れ家カフェ』だったんだよね。それがいつのまにか、年に一回の大イベントになってて……」

私はそこで頭を抱えた。

「この調子だと、今年はさらに規模が大きくなるのは目に見えてて……そのうち、ナンテール州だけでなく、王国全体でも名の知れたイベントになって……フラタ村本来の踊り祭りのほうを完全に喰《く》っちゃうんだよ……」

もはや私がコントロールできる規模を超えてしまう。

むしろ、去年の時点でほぼ超えていた。

「たしかに、何万人も押し寄せるようなことになると、周辺に勝手に仮設店舗を出す人やら、にぎわいに狙《ねら》いをつけた泥棒やら、そういった問題のある方も必ず集まってきてしまいますね……。それはフラタ村にとってもよろしくないです」

真面目《まじめ》なライカが首をひねりながら言った。

何万人が押し寄せる喫茶店って、それは喫茶店とは呼べない。

「そういうこと。このまま大規模化が続くと、一年の大半を喫茶店の準備のために使うようになりかねないんだよ……。それ、ただのイベント会社じゃん……」

この世界は、なぜかフェス的なものが多いのだけど、ああいう準備だって一か月前からスタートなんてことは絶対にない。出店者を募集したり、会場を借りたり、働いてくれるスタッフを探したりと、雑に考えても一年前からのスタートは必須だろう。

学校の文化祭だって、クラスで何をやるかを一週間前に決めるなんてことはありえなかったわけで。食品を扱うクラスは、届け出みたいなのも必要だった。文化祭実行委員はそれなりに前から働いていた。

喫茶『魔女の家』はすでに一大イベントに片足を踏み込んでるどころか、腰のあたりまで沈んでいる状態なのだ！

「かといって、今更、規模を縮小するのも難しいでしょ？　どっちかといえば、噂《うわさ》はさらに広まってるだろうし、来場者だけは確実に増える」

「お師匠様、来場者という表現を使っている時点で、無意識のうちにイベントだと考えてますね……」

「ほんとだ、ハルカラの言うとおりだ」

普通、喫茶店はお客さんのことを「来場者」とは呼ばない。

実を言うと、踊り祭りが少しずつ近づいてくるにつれて、どういうふうに乗り切るかで悩んでいた。

お客さんが多くて困るというのは、いわゆる「うれしい悲鳴」なんだろうけど、この規模だとガチの悲鳴になりそうだ。

「ご主人様、じゃあ、中止にしましょう」

すごくあっさりとフラットルテが言った。

「というか、誰《だれ》にもやるなんて言ってないのだ。やらなくて文句《もんく》言われる筋合いなどないのだ」

「あなたは本当に何も考えずに発言しますね……。すでに踊り祭り全体の集客にも影響が出てる状況なわけですし、あっさり中止というわけにもいかないでしょうが……」

ライカがため息をつきながら言った。

「なんでフラタ村のことまで考えてやらないといけないのだ。それはそれ、これはこれなのだ。だいたい、祭りって去年より来る奴《やつ》が少なかったら失敗ってものなのか？　そんなの気にせず毎年だらだら続けてるんだろ？」

「うっ……。正論だけで押し通せないから、アズサ様も困っているんですよ……。そこのところを少しは考慮してください……」

ライカみたいに気配りのできる子ほど、こういう事態は厄介《やっかい》だろうな……。

もっとも、フラットルテの言うこともわかると言えばわかる。ライカの言うように、正論そのものだ。

別に村が喫茶「魔女の家」について相談に来たりはしてない。やらなくてもいい。

けど、やらないならやらないで、村に波乱が起きてしまいそうなんだよな……。

私はちらっとハルカラのほうを見た。

こんな時は経営者目線を持っているハルカラに尋ねるのがいいかなと思ったのだ。

「ああ、それじゃ、整理券制なんてどうでしょうか？」

「整理券制？」

想定外の単語が出てきた。

「そうです、そうです。喫茶店利用のための整理券を発行して、それを持っている人だけ入店できるようにするんです。そしたら、お客さんが多すぎて混乱するってこともないですよ」

「ハルカラさんは酩酊《めいてい》さえしていなければ、いつも名案をだしてくれる」

「シャルシャちゃん、ほんのりと毒を感じるんですけど……わたし、酔った時、そんなひどいことになってます……？」

「むしろ、ハルカラさん、いまだに自覚がない時点で酔い方を考えたほうがいいよ。取り返しがつかないことになりかけたこと、何度もあるよ」

ファルファはガチで心配している顔だった。さすがのハルカラも気まずそうな顔をしていた。

「以後、できるだけ気をつけます……。ええと、整理券の話を続けますね」

たしかに話題はハルカラの酒癖をどうするかじゃないからな。

「さらに整理券に『あなたは○○時からの部です。その少し前には来てください。いない場合は先に別のお客さんに入店してもらう場合があります』なんて書いておけば、混雑のコントロールもできますし、どうでしょうか？」

「ふむふむ。お客さんをしぼることにはなるけど、キャパオーバーの数が来ても、お客さんにも迷惑だし、そうするしかないかな」

喫茶店は公共事業ではないし、そこは大目に見てもらおう。

「それなら、喫茶店を続けることはできるだろうし、そうしようかな」

「あっ、けど、やっぱり、まずいことになりますね……」

ハルカラの顔が少し青くなった。何か懸念《けねん》を思いついたらしい。

「今、この人気で整理券制にしたら、確実に転売目的の人に並ばれて、券だけ高値で売却されてしまいます……。それは大変よくないことです……」

えっ？　まさかの転売問題⁉

「それに、あまりにも券が高額で取引されて、誰も買わなかった場合、こちらは券は渡してるのにお客さんがちっとも来ないという悲劇になるおそれも……。かといって、整理券発券の時点でお金を払ってもらうことも現実的じゃないですよね。メニューが一種類だけとかだったら、それでもいいんですけど、喫茶店は入店のはるか前から注文を決めておくタイプのお店じゃないですし……。

ああ、これはダメだ、ダメです。撤回します！」

「なんかよくわからないうちに発案者に取り下げられた！」

まさかこの世界で転売の問題に悩まされることになろうとは……。

けど、現状の盛り上がり方の時点でも、喫茶店に興味ないけど、整理券を入手すれば売れるだろうと考える人なんかは出てきそうである。

「生きてるとお金に右往左往《うおうさおう》させられて大変ですねえ」

しみじみとロザリーに言われた。

「需要と供給のバランスが難しいんだよ……。お店って難易度が高いな～」

その時、ゆっくりとシャルシャが手を挙げた。

「シャルシャも意見あるの？」

シャルシャは思う。この喫茶店に人気が出る理由の一つは年に一度のことであるがゆえ。だからこそ、その日に行くしかないと思って、人が集中する」

「それは、まあ、そのとおりだと思う」

「ならば、特別なものではなくしてしまうよりほかない。いつでも喫茶店が営業していれば、問題の多くは避けられる。よって、フラタ村やナスクーテの町あたりに常設の喫茶『魔女の家』をオープンさせる！」

最後のほうは、シャルシャの目が大きく開かれていたから、気合いの入った意見だったようだ。

「壮大な話になってきた！」

まさか、本当に喫茶店を経営してしまうということは考えてなかった。

けど……娘の意見を否定《ひてい》したくはないけど、これも難しいなあ……。

「それだと、飲食店で働くってことだよね……。スローライフと最も離れたところに行っちゃう気が……」

毎朝、仕込みをして、閉店後も片付けをして……。

ダメだ、想像するだけでも大変そう。

それに、もはや職業が魔女じゃなくて、飲食店勤務になってしまう！

「別に開けたい時だけ、ふわっと開けたらいいんじゃないですか？　その時に運よく見つけられたら喜べってスタンスでやれば気楽ですよ」

フラットルテの言葉にまたライカがあきれた顔をした。

「それだと、常設の店の意味がないでしょう……。あと、営業日があまりに少ないと、また人が集中して混んでしまいますよ……」

「シャルシャはこう考える。別に常に家族の誰かが働く必要はない。メニューの作り方を覚えてもらえば、誰でも料理は作れるはず。家族に本格的に料理修行した人はいないが、これまでもやれていた。大丈夫」

経営に回れというのがシャルシャの意見か……。

私はテーブルに突っ伏した。

「それは混雑は解消できるかもしれないけど――もう、隠れ家カフェでも何でもないな」

すでに私の当初の目的はどこかに行っていた。

「母さん、去年だって隠れ家カフェではなかった」

「シャルシャちゃんの言うとおりですね。お師匠様、人気が加熱すれば隠れることはできないのです。王都でも有名な隠れ家レストランは食通の誰もが知っていますよ」

シャルシャとハルカラに引導を渡された。

人気が出るということはそういうことなんだな。

「そうだね。喫茶店を経営したい人がいるならやってもらえばいいよ。私は降りる……」

偶然、レベルMAXになったことでスローライフが破壊された経験があるのだけど、今度はお店の人気が出すぎてスローライフが破壊されそうだ。

ここは初心にかえって、無理をせずに、何もしないということを選択するか。


その時、扉が勢いよく開いた音がした。

なんだ？　サンドラが入ってきた？

いや、サンドラはちゃんと椅子に座っている。ただ、興味がないから寝ているだけだ。

じゃあ、いったい誰だ？

「話は聞かせてもらいましたっス！」

松の精霊ミスジャンティーが入ってきていた。

「……そもそも、どうやって聞いてたかわからないんだけど」

「あっ、盗聴したわけではないっスよ？　ほら、近くに松の木が生えてるじゃないっスか。松が聞いた声は私が聞いてるも同然っスから」

「じゃあ、あの松、切ろうかな」

盗聴みたいなものじゃないか。盗み聞きされてるかもと思ったら嫌だ。

「それはやめてくださいっス！　あの松がなくなるとフラタ村の分院の存在意義も薄れちゃうっス！」

その松もなかばミスジャンティーの策で生《は》やしたようなものなんだよなあ……。

「それで、ミスジャンティーさんはどうされたいのですか？」

ライカは立ち上がって、キッチンのほうに向かった。ミスジャンティーのためのお茶を用意するんだろう。本当によくできた子だ。

「はい、喫茶『魔女の家』の経営、やらせてもらいたいっス」

こんなにすぐに経営者希望が見つかるとは！

「多角的にやっていかないと、松の神殿も維持できないっスしね。やれることは全部やっていこうかと考えてるわけっス」

「ふうむ……。地元の人を低賃金で酷使《こくし》したりしないなら、許可は出してもいいけど。あと、高原の魔女の庭でとれた野菜のサラダだから高く売るみたいなあこぎなことはしないでね」

「アズサさん、まったく信用してないっスね……。少しばかりショックっス……」

悪いけど、自業自得だと思う。金に汚いという点だと、ミスジャンティーはブッスラーさんと双璧をなす。むしろ、ブッスラーさんのほうが経済的には安定しているので、ミスジャンティーのほうがヤバそうだ。

「その点は問題ないっス。というのも、神殿の職員を呼んできて働いてもらうつもりなんで。職員の何人かには私が顔出ししなきゃいけないんスが、背に腹は替えられないっスしね」

「それって、神官の人たちに飲食店やらせるってこと……？　慣れない仕事で大変なんじゃない……？」

ミスジャンティーは首を横に振った。

それから、力なくうつむいた。

「収入が少なくてやっていくのがつらい神官が多いんスよ……。今時、信仰だけでは神官だって食っていけないっス。雇用を創出できればちょうどいいかなと……。人数だけはたくさんいるので、一人頭の労働時間は知れてるはずっス……」

生々《なまなま》しすぎた。

「わかった……。だったらミスジャンティーに喫茶『魔女の家』は任せるよ」

神官のために雇用がほしいなどと言われた手前、断りづらくなったというのもある。

それに問題があったとしても、喫茶店だからな。

ケガ人も、無茶苦茶《むちゃくちゃ》不幸になる人も現れないだろう。

「ありがとうございますっス！　名店の名を受け継ぐからには全力でやりたいと思うっス！」

「これまでの合計営業日数が二日しかないのに名店扱いされてもな……」

本物の名店に申し訳ない。

「じゃあ、レシピなんかは教えるし、その他もろもろは好きなようにやって」

「わかりましたっス。店ができたり、神官が来たりしたらまた連絡するっス。神官には忠実に味を再現できるまで修行してもらってから店をオープンさせるっス」

「だから、名店っぽく言わないでほしい」

それなりにおいしいとは思っているけど、味よりも話題で人気が出た店なんだよね。

でも、これで踊り祭りの前から営業がはじまれば、人の一極集中は緩和できるのではなかろうか。

お祭りの時には各地から人が来るとはいえ、地元が近い人が日をずらしたりできるし、このために一週間かけて来るような人はさすがに少数のはずだ。

それで喫茶店問題はほぼ解決したと思っていたのだが——甘かった。

「姐《ねえ》さん、ちょっといいですか?」

ロザリーの声が頭上からかかった。

「喫茶『魔女の家』って、姉貴の人気の要素が大きかったと思うんですよね……」

そう言うロザリーの視線はライカのほうを向いていた。

「……はっ! ロザリーさん、変なことを言わないでください! 我はとくに優れたことをしたわけでもないですし……」

ライカが顔を赤らめて、否定する。

でも、その否定するところも含めてかわいいので、残念ながら無意味です。

うん、ライカの給仕服姿はもはや伝説になっていた。

これはおおげさなようだけど、かなり事実に近いことだと思う。

「踊り祭りの前日にも姉貴がいなかった場合、落胆《らくたん》しちゃう人もいるのかなあと……。アタシからあまり無理強いはできないですが……」

「ご、誤解です！　それに喫茶店というのは、勤務している特定の誰かに会いに行くために訪れる場所ではないはずです！　いこ、憩いの場じゃないですか！」

それはそのとおりなのだが、ライカめあての人は去年もかなりいた。

「ライカさん！　どうか短時間、短時間でいいので、その日はヘルプに入ってくださいっス！　お店は出だしが大事なんスよ！」

ミスジャンティーがライカに泣きついた。これはおおげさに感じたけど、ミスジャンティー神殿全体の経営は割といつもギリギリなので、妥協《だきょう》していられないのかもしれない。

ライカもやむをえまいかという気になったらしい。

「特別ですからね……？　何日も接客に立つつもりはないですからね？」

念を押しつつ、ライカも了承した。

「そこはむしろ特別だという印象を与えられたほうがいいっスので、年に一日でけっこうっス」

一応、信仰されてる精霊なんだから、発言に多少の威厳は残しておいてほしい。

ただ、喫茶「魔女の家」に絡《から》んだ一連の問題に、解決の目途が立ちはした。

肩の荷が少し下りた気はしました。

◇

喫茶店はフラタ村とナスクーテの町のちょうど間ぐらいの何もないようなところに建てられた。

樹木の精霊だからなのか作業は早くて、許可を出した二日後にはもう完成していた。

喫茶「魔女の家」の味を
今に引き継ぐ
喫茶
松の精霊の家

「ああ、正式な店名は『松の精霊の家』にするんだね。問題ないよ」

私が全然いないのに、喫茶「魔女の家」って名前なのよりも、このほうが表現としても正確だと思う。

「はい。ライカさんがいないぞとクレームが来ても困りますし、名前は『松の精霊の家』にすることにしたっス」

理由がセコい気がするが、そこが案外ばかにならないのが厄介だ。

「料理の味が再現できてるかのチェックは、また神官が到着したらお願いするっス。もう、各地の神官に松から神託《しんたく》が行ってるはずですから、そのうち集まってくるはずっス」

信仰している精霊から、飲食店で働けって神託を下される神官、どんな気分なんだろう……。それとも、奇妙な神託でも信じてこその敬虔《けいけん》な神官なのだろうか？

「本当は神官の年収ももっと高くしてあげたいんスけどね……就職する頃《ころ》から、斜陽の神殿だよって伝えてたし、説明責任は果たしていた……はずっス」

「本当に世知辛《せちがら》い……」

残念ながら栄えている教えもあれば、廃《すた》れている教えもあるのだ。世の中はそういうものなのだ。

ところで、ここに来た時から疑問だったことがあった。

「ねえ、なんでこんな中途半端《ちゅうとはんぱ》な場所にお店を建てたの？　ここ、どこの集落からも離れてるよね」

そう、そこはナスクーテの町でもなければ、フラタ村でもない。

その二つを移動する人からすればちょうどいいところにあるかもしれないが、絶妙に不便だ。

「一番の理由は土地が安かったからっスね」

「精霊らしさのない理由だ……」

まあ、お金に困ってなければ、飲食店をやるなんて言わないだろうしね。

「それと、ここならどれだけ人が来ても地域に迷惑かからないっス。フラタ村の中ではじめてしまうと、お祭りの時にやっぱり混んじゃってまずそうっスよ。近隣の家とトラブルになったりしても面倒っス」

「松の精霊らしい要素、全然出てこないな……」

注意深いと言えば、注意深いけど。

「あと、ここが一番松が元気に生えてる場所だったんスよね」

たしかにそこは街道から松の木のトンネルみたいなところをしばらく入ったところにあった。

私の前世のイメージのせいかもしれないけど、松のせいで和風に感じるな。高級料亭の庭みたいな雰囲気がある。

「それを理由の最後に持ってくるあたり、ミスジャンティーって変なところで誠実だね」

格好をつけようと思えば、まず使える理由はそれだろうに。

「気持ちも大事っスけど、お金も大事っス。現実はしばしばお金のほうが大事っス」

「そういう本音、神官の前ではあまり言わないでね……」

神官がショックを受けそうだ。

「ちなみに、裏手には礼拝施設もあるっスよ」

たしかに建物の裏手には、「松の精霊ミスジャンティー」と彫られた小さな石の祠《ほこら》が置いてあった。

どうも、庭に小さなお社《やしろ》がある家っぽい。

それと、前に立札も置いてあった。

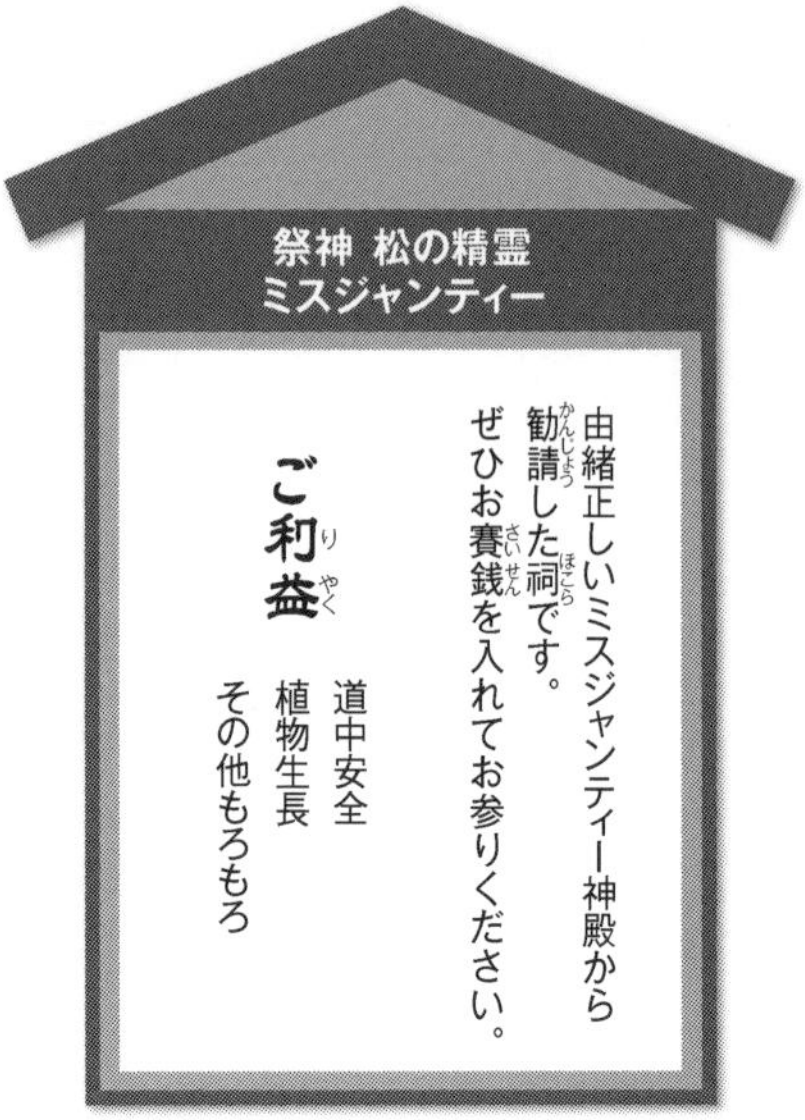
祭神　松の精霊
ミスジャンティー
由緒正しいミスジャンティー神殿から
勧請《かんじょう》した祠《ほこら》です。
ぜひお賽銭《さいせん》を入れてお参りください。
ご利益《りやく》
道中安全
植物生長
その他もろもろ

「あわよくば、お賽銭をもらおうとするのやめようよ！」

「いえ、こういう細かいところをおろそかにしないのが成功の道なんスよ！　一ゴールドをバカにする人は一ゴールドに泣くんス！　一ゴールドでも、気持ちのこもった一ゴールドならありがたく受け取るっス！」

無理矢理いい話みたいに持っていくの、ずるいぞ。

「でも、一ゴールドより百ゴールドや千ゴールドもらえるほうがうれしいでしょ？」

「無論そうっス！」

精霊や神様のことを知りすぎると信仰する気がどんどんうせていく。

多分、あこがれの業界に入ったら、その業界に対するあこがれがうせていく現象と同じだな……。

ミスジャンティーが言っていたとおり、数日で各地からミスジャンティー神殿の神官がやってきた。

私も喫茶店の料理を教えるために、また喫茶「松の精霊の家」に出向いた。

神官の人たちの話はこんな感じだった。

「いやあ、助かりました。敷地の大半を馬車の駐車場にしてどうにかやっていたので」「うちは土地を売って三階建ての商店を建ててもらって、その裏手でひっそりやってます」「私のところは敷地の松がずいぶん枯れてきて、見栄えも悪かったのですが、植え替えるお金もなくて」「今時、神官は兼業でないとやっていけないですよね」

どこも経営難が深刻！

「はい、みんな、不幸自慢はそのへんにするっス。これから喫茶『魔女の家』のメニューを完璧《かんぺき》に再現してもらうっス」

ミスジャンティーがぱんぱんと手を叩《たた》いて、神官たちに声をかけた。

「承知いたしました。偉大なる松の精霊ミスジャンティー様」「このように姿を現してくださったこと、いつまでも忘れずに覚えておきます」「我が信心に悔いなし！」「絶対繁盛させましょう！」

こんな軽いノリの精霊を見たのに、よく信仰を持てるな！

「いいっスか？　今から喫茶『魔女の家』の料理をアズサさんに教えてもらうっス。アズサさんを松の精霊だと思って接するっス」

「承知いたしました！」「靴を舐《な》めろと言われたら舐めます」「松の葉でつっつかれても我慢《がまん》します」

「まつぼっくりを剛速球でぶつけられても大丈夫です」

変なへりくだり方で気持ち悪い！

「ていうか、皆さんは本物の松の精霊に会ったことはあるんですか？　驚きとかはないんですか？」

「神託どおりの軽いキャラなので」「むしろ、これで白いヒゲのいかめしい老人が出てきたりしたら詐欺《さぎ》っぽいなと」「沈む時は精霊も神官も一緒です」「うちの家内よりはべっぴんさんですから」

村の寄り合いみたいな会話だな！

ものすごく前途多難なことになるかと思ったが、神官の人たちが真面目なのが幸いして、料理を習得してもらうのは、けっこうあっさりと済んだ。

ていうか、門外不出の秘伝のソースみたいなのもないから、味の再現は簡単だ。

「うん、これで味を受け継いだと言ってもウソにはならないね」

ミスジャンティーと二人で、私は試作品の料理を食べながら言った。

神官の人たちは休憩時間なので町に遊びに行っている。

「よかったっス。まあ、フラタ村やナスクーテの町の人が来て、少し貯金ができる程度ににぎわえば、ひとまずは合格っス」

「ミスジャンティーって、そこはあまり欲がないね。お金を必要とはしてるけど、大儲《おおもう》けしようって意気込みは弱め」

そこがブッスラーさんとの違いだと思う。あの人はとにかく利益《りえき》を出そうとする傾向がある。

ミスジャンティーがシニカルな笑みを浮かべた。

「そりゃ、本家の喫茶『魔女の家』と比べると――花がないっスから……。神殿の運営にすら困ってたおじさんばっかりでやるお店っスから……。かわいい女の子だけでやってるお店みたいには上手《うま》くいかないっスよ。かわいさは大事なんスよ……」

リアクションに困ることを言われている……。

「いや……私たちも王都の劇の人気女優がやってるお店なわけじゃないし、たかが知れてたよ……」

「アズサさん、それは違うっス。ヴィジュアル面は大事っス。そこは勝てないっス。味を再現しても、大繁盛ってことはないっスよ。味も大事っスけど、大事な要素の一つにすぎないっス」

「飲食店をやるのにそんなこと言わないでほしい」

私としては、複雑な心境だが、と、とにかく喫茶「松の精霊の家」が軌道に乗ることを祈ってます！

◇

踊り祭りの約一か月前から喫茶「松の精霊の家」はスタートした。

ミスジャンティーから聞いた話によると、ぼちぼちやれている、思ったよりもいい調子だということらしい。

ぼちぼちということで喜ぶのも変かもしれないが、私としては喫茶店の混乱をほどよい落としどころで解決させられそうなので、ほっとしていた。

今度こそ肩の荷が下りた。

今年は踊り祭りに気楽に出ることができそうだ。

それが私本来の踊り祭りへのスタンスだったし、原点回帰と言ってもいい。

――でも、それは甘かったようです。

祭りが近づいてきた、天気のいいある日。

朝から誰かが訪ねてきたと思ったら、ギルドのナタリーさんだった。

「高原の魔女様、どうか今年も喫茶『魔女の家』をよろしくお願いいたします！」

「ああ、はい。それなら喫茶『松の精霊の家』というお店をやってるから――」

「店舗が移転したことはもちろん知っています！」

店舗移転とは言わない気がするが、ナタリーさんの伝えたいことはわかる。

「ですが、やっぱり高原の魔女様たちが働くお店でないとダメなんです！　なにとぞ、なにとぞ！　やっぱり祭りですから派手な一発がほしいんです！　これは村のみんなの総意です！　祭りの期間の限られた時間だけでけっこうですから、移転先で魔女様たちの姿を見せていただけないでしょうか？」

うっ……。村からのオファーだと断りづらくはあるな……。

そこにナタリーさんのためのお茶を用意したライカがやってきた。

「あの……不本意ながら、我は前日祭には少しだけあのお店で働くつもりではあるのですが……」

「はい！　ライカさんのお話はすでにお聞きしています！　大変期待しております！」

「どこから聞いたんですか……？　ああ、喫茶店からですかね……」

おそらくそうだろうな……。ミスジャンティーにとったら集客力のある情報を言わないわけはないよな。

「ですが！　やっぱり、喫茶『魔女の家』は皆さんがいてこその『魔女の家』なんですよ！　ライカさんお一人だけだったら、喫茶『ライカさんかわいい家』になってしまいます！」

「その店名だったら我は絶対に働きませんよ」

だろうな。私だって喫茶「魔女かわいい家」なんて名前なら嫌だわ。

「だから、皆さんが集まって、喫茶『魔女の家』をやってくれることに意味があるんです！　もはやそれが踊り祭り最大のイベントなんです！　これは村のみんなの総意です！」

「まだ二年しかやってないのに、それでいいの⁉」

「いいんです！　だって高原の魔女様の年齢のほうが踊り祭りの歴史より長いんですから！」

ナタリーさんに痛いところを突かれた。

そうなんだよね……。私の目から見ると、そこまで伝統のある祭りでもないと言えばないのだ。

あと、繰り返しになるが、村からのお願いというのは、断りにくいものがある。

普段からお世話になっているところからのお願いなのだ。申し訳ないとは思う……。

「あの、いくらフラタ村とナスクーテの町の間で営業しているとはいえ、去年より人が来ちゃって混乱が起こることだってあるんだけど。いや、絶対に混乱に陥《おちい》りますよ」

「ギルドの依頼で交通整理の冒険者をたくさん雇います。そこはお願いする以上、全力でやります！　お店に人が来すぎないように整理券制にします！」

「それだと転売の危険が――」

「転売する人が出てこないようにする見張りも冒険者を雇ってしっかり対策します！」

思った以上にしっかり検討《けんとう》していた！

そこまで言われたらやりませんって言えないわ！

「わかりました……。前日祭だけですからね……」

少なくとも私はやろう。ライカにだけお願いするのも何かおかしい気がするし。

「ありがとうございます！　今日の大仕事が終わりました！」

意気揚々《いきようよう》とナタリーさんは帰っていった。

そのあと、今度はミスジャンティーがやってきた。

「あの、できれば前日祭の日、ライカさんだけじゃなく、みんなにもお店に出てほしいんスが――」

「うん、わかった。出るよ」

「そこをなんとかお願いするっス……………えっ？　いいんスか？」

もう、とことんやる！

今年も喫茶《きっさ》「魔女の家」をやった

She continued destroy slime for 300 years

こうして、結局、喫茶《きっさ》「魔女の家」を今年もやることになった。

とはいえ、高原の家をお店として使うわけではなくて、ミスジャンティーのお店だ。すでに営業しているお店に備品もあるわけで、準備自体はそこまで必要ではない。

それに、服なら過去に作った給仕服がある。

「久しぶりに試着してみたけど、虫に食われてるわけでもないし、当日でも問題なく使えそうだね」


「お師匠様、なぜか胸がきつくてボタンが締まりません……」

「自慢《じまん》かーっ！」


ハルカラ、困っているふりをしていると見せかけての自慢はよくないぞ。とってもよくないぞ。

「違いますよ……。そんなにお肉食べてないのに太ったでしょうか？」

「あなた、肉を食べなくてもお酒がぶがぶ飲んでるでしょ……」

「ああ、それが胸にいっちゃいましたか」

「やっぱり自慢かーっ！」

普通は胸だけ大きくなったりはしないのだ。

「ハルカラよ、そんなにきついなら、ちょっと破《やぶ》けばいいのだ」

フラットルテがまずい解決策を提示していた。そんな不可逆的な手段を用いるのはダメだぞ。だいたい、破いたらもっとけしからんことになる。

自分が着終わったので、次にサンドラに給仕服を着せた。

「う～、落ち着かないわ。土に潜りたい……」

「この服で入るのはやめてね……。当日もちょっと顔を見せるぐらいでいいからね。今回の私たちはにぎやかしみたいなものだし」

サンドラも昔と比べるとオシャレに対する意識が出てきてると思う。けど、給仕服はオシャレとも関係ない、いわば仕事着だから、落ち着かないのを我慢《がまん》する意義があんまりないのだろう。

「そうね。光合成したくなったら、ちょくちょく外に一服に出るわ」

タバコ吸う人みたいなセリフだが、室内の労働に植物は不向きなのだろう。

「ここの松は性格もいいしね」

「……うん、何もわからないから、植物は植物のほうで仲良くやってて……」

今度はロザリーが床から出てきた。

すでに私の着せ替え魔法で給仕服の姿になっている。

「なんか、今年の姐《ねえ》さんは全体的に事務的ですね」

「どちらかというと、去年まではりきりすぎたんだよね。今回のコンセプトは自然体ってことでいこうと思う」

無理したり、頑張ったりしない。

ほどほどにやる。どうせ常に頑張ることなどできないのだから、頑張らないとどうにかならないことであれば、設計段階で失敗しているのだ。

私の計画はチェーン店を年内に何十店舗まで増やすみたいなことではなかったので、拡大政策をとる必要はない。今年はほどほどに喫茶店《きっさてん》をやるぞ。

「……ただ、あくまでも目標なんだけどね」

「姐さん、目が笑ってないですぜ……」

「私たちが自然体でいたとしても、私たちの友達や知り合いが来るだけで、またとてつもないことになると思うんだよね……。そっちのほうは不可抗力だし。もう、なるようになれって気持ちでいるよ」

魔族が来るぐらいならまだ生ぬるいほうで、神様に当たるものなんかも来るかもしれないのだ。

私に恨みを持ってる相手はいないはずなので、それが救いだろうか……。

「あっ、ベルゼブブが来た時に、リヴァイアサンでやってくるのはやめてねって言っておかなきゃ……」

フラタ村周辺の人は慣れてきているけど、びっくりする人もいるはずだ。

それと、リヴァイアサンに荷物を積んでこられるとまた去年みたいに大規模なものになる。

ちなみにベルゼブブは二日後にきっちりやってきた。

「ああ。今年はワイヴァーンで行く予定じゃから、大丈夫じゃぞ」

「そっか。ワイヴァーンなら大丈夫だね」

多分だけど、私の感覚もマヒしてきている。

「それで、アズサよ。今年はわらわは働かんでもええのか？」

ベルゼブブ、大臣のはずなのに、文化祭の手伝いしなくていいのかみたいなノリで聞いてくるな。

「その気持ちは大変うれしいけど、今年はこじんまりとやるからいいよ。立地も隠れ家カフェっぽいところだし」

「そうか、そうか。本来、村の小さな祭りじゃしな。それぐらいでちょうどよいじゃろう」

うん、あくまでも踊り祭りは小規模なもので、全国各地から人が来るものではないのだ。観光客が来るという発想すら少し前まではなかったのだ。

小規模だからといって、幸せも小規模というわけではない。

フラタ村にはフラタ村に合った大きさの祭りがあるべきなのだ。ベルゼブブも理解してくれたようでなにより。

「じゃあ、わらわたちは勝手にやるのじゃ」

「ああ、うん。――あれ、今、勝手って……。勝手って何をする気？」

ベルゼブブがファルファとシャルシャの部屋のほうに行ってしまったので、それ以上確認をとることができなくなった。

「大丈夫だよね、多分、多分……」

◇

いよいよ、踊り祭りの前日祭の日がやってきた。

普通は「いよいよ」と言う場合は踊り祭り当日を指すべきなんだろうけど、私たちのお店は前日にやるからしょうがない。

お店に向かうために私たち家族はまずフラタ村に下りた。

うん、ここはまだおかしくない。いつもどおりの踊り祭りの時の村の雰囲気だ。

ギルドの隣で、「喫茶『魔女の家』整理券配布」と書いてある仮設ブースに行列ができてるけど……それぐらいは誤差だと考えよう。

あとは、毎年恒例の露店が広場のあたりに並んでいる。

このあたりも変わってな――

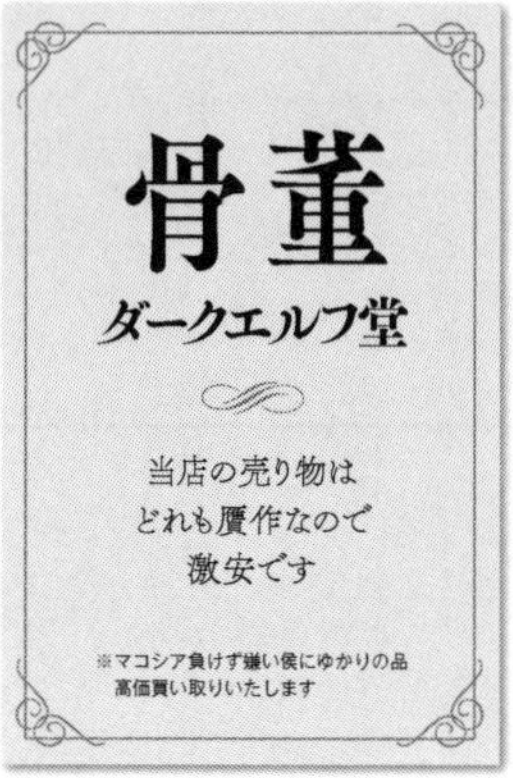
骨董
ダークエルフ堂
当店の売り物は
どれも贋作なので
激安です
※マコシア負けず嫌い侯にゆかりの品
高価買い取りいたします

「変なのが増えてる！」

見たことのあるダークエルフが壺《つぼ》や皿を並べて売っていた。

怪盗キャンヘインだ。ハルカラ製薬博物館に盗みに入ったことがある。あれを盗みに入ったと表現するべきか迷うけど……。

「はっはっは！　怪盗キャンヘイン、安く仕入れて安く売るぞ！　太陽にもエルフの土地の森にも顔向けできるような商いをしているぞ！」

「もう、怪盗を名乗らなくていいじゃん！」

「おお、久々だな！　どうだ、何か買っていかないか？　この大皿は昔の有名な陶芸家の作――のようでいて、精巧な写しだから激安で売っています！」

「やっぱり誠実！　今、買うと重いので、帰りに寄るね」


そして、街道のほうの通りに私たちは差しかかった。

この道の先に喫茶「松の精霊の家」（本日は喫茶「魔女の家」）がある。

何の変哲もない田舎《いなか》の道だけど、だらだらと行こう。

「アズサ様、整理券の効果か、列はできていませんね」

たしかに通りにずらっと人が並んでいるという光景はない。

「こんな村の入り口近くから人が並んでたら、えらいことだからね。ここはあの喫茶店ができるまで店の一軒もなかったような――」

「アズサ様。どうやら少し先から露店が続いているようですが……」

え……？　こんなところにまでお店を出しても通行人も知れてるし、利益《りえき》なんて出ないよ。

去年の踊り祭りの人出を見て、人間の商人がやってきていたとしたら、少し申し訳ないな。

もっとも、人間の商人はほとんどいないようだった。

ずら～っと、魔族の露店が並んでいる！

「何かしてくるかもって気はしてたけど、また仕掛けてきたか！」

すると、遠くからベルゼブブが飛んできた。

「おかしなことはしておらんぞ。出店許可証はもらっておる」

ベルゼブブの手には許可証の束が握られている。フラタ村の村長のサインが入っているから、ルール上は何も問題はない。

「わかった。好きにやって。でも、街道を進んでいくと、フラタ村の管轄じゃなくなるよ」

「州の許可も、街道の先の町の許可証も、あるのじゃ」

「わかった！　合法だったら何も言わない！」

歩いている途中で、ポンデリやノーソニアの露店を見つけた。それぞれゲームと服を売っていた。ちゃんと本業に近いことをやっている。

「アズサさん、お久しぶりです！　命の恩人だからサービスしときますよ！」

「ノーソニア、ありがとう。でも、今買うと荷物になるから帰りに寄るね……」

ノーソニアの露店は訳あり品の服を特価で売っているらしい。アウトレットみたいなものかな。

もっとも、ゲームや服の店は一部で、露店の大半は食べ物に関するものだ。

「アズサ様、激辛料理の露店が多いですね。そこなんて五店舗連続です」

そう言うライカの手にはしっかり辛《から》そうな羊の串焼きが握られている。

「魔族は辛い料理が好きだからね」

私が自然体でいこうとしても、祭りの規模を拡大されてしまう……。

ロザリーの視線は店とは全然違うところにばかり向いている。

「姐さん、霊もこれまでにないぐらい集まってきてますぜ。にぎやかですね～」

「うっ！　あんまり聞きたくない情報……」

でも、お祭りの日って死者の霊が多いとかって言うよね……。

もっとも、霊どころの騒《さわ》ぎではなかった。

旧神《きゅうしん》デキアリトスデさん（通称デキさん）がごく普通に歩いていた。

客足のほうも多種多様になってきてる！

見た目はライトグリーンの髪をした一般女性だけど、丁重に扱わないとものすごく危ない人だ。

リアルにこの世界の危機になる……。

「オ～！　このキャンデー、辛いデース！」

今のところは祭りを満喫してるみたいだから大丈夫かな……。

デキさんはこちらに気づくと、手を振ってくれた。この様子なら問題ないだろう。

露店は喫茶店のところまで途切れることなく続いていた。

ナスクーテの町側のほうにもまだ続いているようだ。いったい何軒あるんだろう。

さすがにすべてが魔族によるものということはなかったけど、それでも魔族が本格的に関与していることは間違いない。

目立たないようにするのは、もう、この時点で無理だな……。

お店の裏口から着替え用の部屋に入ると、ミスジャンティーが待っていた。

「本日はよろしくお願いするっス！　皆さんの実力、この目でしかと焼きつけておくっス！」

「実力はバイト三日目程度のものしかないよ。働くのは今日で三日目だし」

もっとも、私の言葉にあまり説得力はなかった。

ライカが早速給仕服に着替えていたからだ。

「何度着ても落ち着きませんね……。今になって女学院の制服を着せられているような気持ちです……」

「うわ……まぶしい……。ライカが輝きすぎて見えない……」

「アズサ様、おおげさにもほどがあります！　そ、そんなわけないじゃないですか……」

私が顔を手で覆《おお》ってみせたのはおおげさだけど、ライカが似合っていて、可憐《かれん》なのは完全なる事実だ。

ほかの家族も、なかば見とれている。

「ライカさんのおしとやかさで接客ができれば、それだけで勝てるっス。本当に結婚式キャンペーンの広告塔になってほしいっス」

「気持ちはすごくわかる。ウェディングドレスみたいなのも着てほしい。でも、それは着てくれないだろうなあ……」

「結婚するわけでもないのに、そんなの着るわけないじゃないですか！　これが限界です！」

たしかにウェディングドレスとなると、あまりにも恥《は》ずかしそうなのも不自然だし、ライカは給仕服が一番似合うのかも。

「やっぱり料理は心じゃないっス。かといって味でもないっス。接客のかわいさっス」

「もはや料理ではないし、喫茶『松の精霊の家』を全否定《ひてい》することになるよ……」

私たちは開店前に一箇所に集まった。

「みんな、今日は整理券で来るお客さんの数も調整してるし、前回みたいに超満員ってことはないと思う。なので、しっかりと地に足をつけて自分の役目を果たしてくれればいけるはず」

バイトのチーフでも何でもないんだけど、家の代表者ではあるから、こういう役回りをしている。

こんな仕事もだんだん慣れてはきたかな。

「だけど、その分、建物が今までとちょっと違うし、慣れないところもあるかも。そんな時でも焦《あせ》らないで堂々とやっていこう」

直後にそれぞれ「はい」とか「わかりました」とかいった声が出た。

ちっとも声は揃《そろ》わなかった。むしろ、私たちらしいと思う。

それに、みんな、いい顔をしている。

うん、私たちなら大丈夫。

さあ、開店の時間だ。

私はゆっくりとドアを開ける。

「お待たせいたしました。喫茶『魔女の家』オープンで――ぐえっ」

変な声が出た。

「お姉様！　待ちわびていました～♪」

「おぬしらの接客、しっかり堪能《たんのう》してやるのじゃ」

ペコラとベルゼブブ、それとヴァーニアとファートラが立っていた。

「祭りを盛り上げるために協力する見返りに、一番の整理券をいただきました」

淡々《たんたん》とファートラが言った。

「ほとんどズルじゃん！」

まあ、こうなるよね。

私が自然体でいようとしても、周囲が全力で妨害してくるのだ。

「いくら払ったら、ソースで『ペコラ大好き』って書いてくれますか～？」

「お客様、そういうスタイルのお店ではないです」

隠れ家的喫茶店という要素でやっていきたいと思う。

店の立地としては割とそれに近いし、できるかぎりその方向性を守りたい。

「アズサさん、予約してないんですけど、ランチのコースってありますかね？」

「ヴァーニア、そういう有名なレストランみたいなところでもないから！」

厄介《やっかい》だから、とっとと客席に案内した。

よし、気持ちを切り替えて、二組目のお客様をもてなすぞ。

私はまたドアを開ける。


「お待たせいたしました。喫茶『魔女の家』――うへぇっ」


「どうや、儲《もう》かりまっか？　――って、開店したばっかりやないか！　まだ儲かるかはわからんやろ！」

「陛下、ツッコミを入れるところがないからって強引《ごういん》にやるのはマナー違反です」

今度はムーとナーナ・ナーナさんが来ていた。

「魔族の方々から二番の整理券を譲っていただきました」

「してやられた！」

「さ～て、どんな茶しばこかな」

「陛下、その表現はいくらなんでも下品です」

私は脱力しながら、空いている席に案内した。

「お師匠様、大丈夫ですか？　厨房と代わりますか？」

このお店は厨房からお店の中がはっきり見えるタイプだ。なので、ハルカラにも全部状況は知れていたらしい。

「そうだね……。ちょっと心臓に悪いし、一時的に交代してもらえるかな……」

いくらなんでも知ってる顔しか入店しないということはないし、この波もいずれ途切れるだろう。

アルバイトしているお店に友人がひやかしで来ると鬱陶《うっとう》しいと聞いたことはあったが、本当だったんだな。


しかし、私などまだいいほうだった。

私が厨房に入ると、入れ替わりにお客さんを案内するハルカラの悲鳴が聞こえてきた。

「ど、どうして家族で来てるんですかー！」

ハルカラ一家が来店していた！

「だって、魔族の方から整理券をもらったのよ。使わないともったいないじゃない」

ハルカラママが当たり前のように答えた。

整理券方式をペコラに悪用されている！

やっぱりどんな物事にも裏があるのだ。リスクもちゃんと検討《けんとう》して採用しなければひどい目に遭う……。

友人がひやかしに来るなんてまだマシで、ハルカラは家族がひやかしに来るという最悪の状態になっていた。

あれ、思春期の子供に対してやったら、ガチで嫌われたりしそう……。

「お酒飲み放題ってあるかしら？」

「ないですよ！　そんなの回転率も何もあったものじゃないでしょうが！　あと、テーブルに吐《は》かれたりしたら困るからアルコールはダメです！」

ハルカラ、家族には客観的な対応ができるんだよなあ……。

「お姉ちゃん、ここのお代って家族割引ってある？」

今度はハルカラ妹が言った。ハルカラより今時の娘感がある。

「あるわけないです！　ふざけてないで、ちゃんとお金払ってください！　むしろお金だけ払って今すぐ帰ってほしいです！」

ぞろぞろとハルカラ一家が店の中に入ってくる。ぱっと見はよくあるエルフの家族だが、ほぼみんなハルカラよりいいかげんらしいので、なかなかの猛者《もさ》たちだ。

ハルカラが猫背になった肩でまたドアを開けていた。

家族が来るというダメージがまだ癒えていない。

で、でも……ハルカラ、さらに家族が来るということは絶対にないから、もう驚くようなことはないはず……。だから、これ以上ショックを受けることはないんだ。ここから持ち直していって……。

なのに、またハルカラの悲鳴が聞こえた。

「わっ！　クマです！　このへんに生息してないのに！」

本当に一般客が来ない！

「失礼ね、シロクマ大公は人を襲ったりしないわ」

ああ、この声は――シローナとペットのシロクマ大公だ。

「いや、シロクマ大公と来たの⁉」

厨房からツッコミを入れてしまった。

「義理のお母様、うるさいですよ。シロクマ大公は二足歩行できるからいいじゃないですか。熱いお茶を一つと、シロクマ大公用に冷たいお水を一つください」

小姑《こじゅうと》のように言ってくるな！

次にユフフママ、クラゲの精霊キュアリーナさん、月の精霊イヌニャンクの三人が入ってきた時には、なんかほっとした。

精霊三人が来ている時点で何も普通じゃないんだけど、見た目だけならクマよりかなり普通寄りだ。

「アズサ、大変そうね。疲れたのなら、ママが代わってあげるからね？」

「そこまでの気づかいはいいよ！」

もはや一切《いっさい》の緊張は抜けていた。

知ってる顔が来るということは、そのへんで途切れた。

正直、思った以上に知り合いが来た……。

「お師匠様、また交代してもらえますか？　家族がちらちらこっちを見てくるので、イラッとするので……」

ハルカラが自分の家族を指差しながら言ってきた。気持ちはわかるけど、お客様には違いないので、あまり指は差さないでほしい。

「わかった。ホールはやるよ……」


そこから先は一般のお客さんばかりだったので、ようやく私も流れをつかめてきた。

ああ、やっぱり、今年のお店がこれまでで一番お店らしいというか、狙《ねら》っていたことには近いな。

整理券のおかげでお客さんも早朝から異常に列を作っているというほどではないし。

もう過ぎたことだけど、去年も一昨日も、あの混み方はおかしかったよね。

ただ、今年は今年で、たまに茶化《ちゃか》してくる奴《やつ》がいるんだが……。

「店員よ、いつものやつ、持ってきてくれんかのう」

「『いつもの』なんてないだろ！　常連ぶるな！」

ベルゼブブがしょうもないことを言ってくる。完全にいじってきている。

「あと、料理は娘たちが持ってくるようにしてほしいのじゃ。そのほうがおいしくなる」

「お客様、そういうサービスは受け付けておりま――」

「頼むのじゃ！」

ベルゼブブの目がまあまあマジだったので怖かった。

「わかった。それぐらいは許可するよ……」

そのあと、ファルファとシャルシャが手ぶらでホールに出てきた。

何も持ってないなと思ったら、その後ろから料理の載った車（こういうのも台車って言うんだろうか？）をサンドラが押しながらやってきた。

あれはサンドラがやりたいと言ったんだろうな……。

「はーい、車が通りますよ～。気をつけてくださいね～」

「アツアツの料理が載っている。こぼれると危険。横断注意」

料理が到着するとベルゼブブがはしゃいでいた。

「どれもおいしそうなのじゃー！　作ってくれて、ありがとうなのじゃ！」

「料理を作ったのはハルカラさんだよ～」

「そんな些細《ささい》なことはどうでもよい。運んできてくれたおぬしらの料理なのじゃ」

謎《なぞ》の理論が展開されている。

作ったハルカラにも多少は感謝して食べてあげてほしい。

ちなみにファートラはベルゼブブの態度に軽く引いていた。普段、一緒に仕事をしている分、ショッキングなのかもしれない。

「それではチップをはずまねばならんのう。一人、五千ゴールドずつじゃ」

完全にただのお小遣《こづか》いじゃないか！

私が出ていって抗議した。

「お客様、娘にお小遣いをあげないでください！」

「なんじゃ、ちゃんと料理の代金も払うからよいじゃろう」

「お姉様、ペコラの頭、なでなでしてくださ～い♪」

「だから、そんなサービスしてませんから！」

ベルゼブブの相手をしている最中にペコラが絡《から》んでくるので、さらに疲れる……。

「アズサさんも上司と魔王様の二体攻撃には苦戦してますね～」

ヴァーニアも上手《うま》いこと言ったような顔をしている。ファートラだけが静かに料理を食べていた。

「おいしいですが、妹の料理のほうがおいしいですね」

「店員がいるところで言わなくてもよくない⁉」

ファートラもきっちり余計な一言言ってきた。そりゃ、ヴァーニアはほとんどプロの腕前なんだから、家族の誰《だれ》の料理も勝てないよ……。

娘たちが帰っていくと、やっとベルゼブブたちも料理を食べだして、静かになった。

「なんて面倒な客だ……」


しかし、私が料理を取りに行っている間に、もっと変な客が「出現」していた。

テーブルなんてないはずのところに、テーブルが出ているのだ。

そこにメガーメガ神様とニンタンが座っていた。

「朕《ちん》たちも料理をお願いしたい。ネクタルを二つでよいか？」

「きんきんに冷やしたやつでお願いしますね～」

「絶対に整理券もらってないのに入ってきてるよね！　ルール違反だよ！」

お客様ではないので、丁寧語《ていねいご》も使わないぞ。

「整理券は人のための法であって神のためのものではない。神には不要である」

ニンタンがドヤ顔で言ってのけた。

「それにこのテーブルは朕たちが持ってきたもの。人間たちには使用する権利はない」

屁理屈《へりくつ》のかたまりか……。

「ご心配なく。私たちの席はほかの方には見えませんから～」

「メガーメガ神様も、そういう問題じゃないですよ。テーブルを勝手に増設するとか出禁レベルの行為ですからね」

次の瞬間、ニンタンがさらにドヤ顔になった。


「お客様は神様であるぞ！」


この客、それが言いたかっただけだろ！

むしろ、そのために入店しただろ！

「メニュー、無茶苦茶《むちゃくちゃ》ゆっくり持ってきてやる……。あるいは、オーダー通ってませんでしたとか言ってやる……」


「じゃあ、ドリンクバーだけで粘《ねば》りますね～」

この世界にはないシステムを言わないでほしい。もちろん、この店にもない!

そのあと、神のテーブルの横を通りがかったら、死神のオストアンデが増えていた。テーブルがどんどん増えるよりはいいかな……。

オストアンデの見た目は異形《いぎょう》というか、変な毛玉なので、姿は見えないほうが無難《ぶなん》ではある。

招かれざる客だけど、客ではあるので、また注文を取りに行った。

「やはり作家たる者、行きつけの喫茶店の一つもあってこそ……。飲み物はできればネクタルがいい。作家たる者、メニューにない料理を注文したりもしたい。それで後々になって、お店の正式メニューになったりしてほしい」

「形から入りすぎでは……」

「小生、この店を行きつけの喫茶店にしてもいい……」

「今日以外の営業の時は、店長の許可取ってくださいね。じゃあ、ついでに聞いてきます」

私はバックヤードで事務仕事をしているミスジャンティーのところに行った。

やけに仕事している姿が似合っていて、松の精霊っぽさはまったくなかった。

「あの、ネクタルってお店にある?」

「えっ? メニューにはないっスよね……? メニューにないのを注文してくるって厄介な客っスね……。水系の精霊にちょっと聞いてみるっス……」

「ごめんね。神様のお客様が来てて」

ミスジャンティーが嫌《いや》な顔をした。

「そんな客のケースまで考えてないっスよ！」

「あと、死神が『松の精霊の家』の常連になってもいいかって聞いてる」

「死神が常連って情報は売りにしづらいっス！　店の前に『死神オススメの店です』なんて紙を貼《は》ったら、一般の客が怖がるっス！」

それはそうだよな。ホラーな店だよな。

対応が面倒なので、ミスジャンティーを神様のテーブルに連れていった。

「あの、来ていただけるのはうれしいんスが、神様相手にお出しできるほどのものは……。えっ？　精霊がやってる時点で人間がやってる店よりは向いてる？　そう言われても……」

神と精霊の対話なのに、荘厳さも壮大さも一切ないな。

後ろに下がると、お皿を洗ってるフラットルテに声をかけた。

「一年に一日の営業でもトラブルは起きるものだね」

むしろ、愉快犯みたいなのがその一日に集中するから、確実に妙な事態になるのだろうか……？

「面倒な客は出禁にしてしまうのだ。それが一番なのだ」

フラットルテらしいシンプルな解決法！

「ブルードラゴンはよく出禁になっているのだ。来てもらいたくないなら、そう言われたほうが楽なのだ」

出禁経験のベテランの言葉だったか！

そのあと、知り合いたちが少しずつ帰りだした。

早く追い出したのではなく、早目に入店したから出ていくのも早かったのだ。

神とテーブルもいつのまにか消えていた。

ハルカラは家族が帰ると、お客さんに見えないところでガッツポーズをしていた。そんなに嫌だったか。

一山越えたかな。

途中、一般のお客さんに「今年の喫茶店は飾りけのないところがいいですね」というお褒《ほ》めの言葉をいただいた。

「ありがとうございます」

私は丁寧にお礼を言った。

うん、私のやろうとしていたことが伝わってくれているようで、よかった。

派手さはないけど、どこかほっとする、そんな喫茶店をやりたかったのだ。これぞ隠れ家カフェというものだ。

使ってる人も働いてる人もせわしないお店は疲れちゃうしね。

「アズサ様、よかったですね」

テーブルを拭きに来たライカにもそのやりとりは聞こえていたらしい。

「そうだね。短い時間だけど、お客さんにはくつろいでいってほしいな」

その時、ドアが開いた。また、次のお客さんだな。

「いらっしゃいませ！　喫茶『魔女の家』にようこそ！」

「すみません、『月刊喫茶の友』編集部の者なんですが、ライカさんという方に取材させていただきたいなと！」

ライカ人気の影響が出ちゃってる！

「あっ……我は厨房のお手伝いに入らないといけません……。それでは失礼いたします！」

当然のようにライカは、さっと厨房のほうに隠れた。

「あの、整理券はちゃんと持っていますので！　料理も注文いたしますので空き時間にライカさんに取材のほうを！」

ううむ、これはどうしたものかな。

よし、決めた。

私はにっこりと接客スマイルになってこう言った。

「ただいま、店長を呼んできますので、お待ちください」

店員の裁量で決めかねる事態になったら、すぐに店長に頼る！

私はすぐにミスジャンティーに来てもらった。

助けて、店長！

「あの～、このお店の店長をやってる者っス。申し訳ないっスが、事前に取材のお話は聞いてないと、お受けしかねるっス。店員も、取材だとかいったことはないと聞いて働いているっスから。ただ、お店を利用されて、その感想を書いてもらう分には自由っス。そういうことでよろしくお願いするっス。それと、従業員の退社を待って話しかけるのも禁止ということでよろしくっス。それだと実質、労働時間が増えてしまうことになっちゃうっス。ご理解よろしくっス」

思いのほか、うちの店長、しっかり対応してくれてるな……。

ライカめあてのお客さんはたしかにいたけど、大きな問題にはならずに済みそうだ。

ライカ本人は顔を見られるたびに赤面していたけど。

「メ、メニューが決まりましたら、お、お、お呼びください！」

あ〜、かわい〜な〜、店員の私から見てもライカは看板娘だわ〜。

ちなみにお客さんが「ライカちゃん、かわいい！」などと言うと、店長が飛んできた。

「お客さん、あんまり店員をはやしたてたりしないでほしいっス。あくまでも、落ち着いた時間を楽しんでいただくのが当店のコンセプトっス」

この店長、従業員を守るという意識がちゃんとある。

バックヤードであとでライカがこう漏《も》らした。

「今年は店長に感謝しないといけませんね。助かりました」

「うん、そうだね」

ライカもミスジャンティーの呼び方が完全に「店長」になっている。

そんなこんなで、いくつかの問題はあったものの（大半は客の側の問題だった）、喫茶「魔女の家」は無事に閉店時間を迎えた。

最後の一組のお客さんが帰っていった。

「またのお越しを～。やるとしても一年後ですけど、喫茶『松の精霊の家』は通年で営業してますから！」

ドアが閉まってから、私は後ろを振り向いた。

店員である家族たちが集まっていた。

「アズサ様、お疲れ様でした！　なんとか終わりましたね……。やっと一息つけます」

「ライカは気苦労が終わったって顔をしてるね。ほんとにお疲れ」

「次をやる時はフラットルテと持ち場を替わってほしいです……」

「そこはフラットルテと要相談ってことで……」

ちなみにフラットルテには食材の運び込みや洗い場をやってもらっていた。

なんで裏方作業的なことばかりかというと、フラットルテが荒っぽいからだ。

「誇り高きブルードラゴンのフラットルテ様が、客に頭を下げるなんて嫌なのだ。もし横柄《おうへい》な客がいたら凍らせてやるのだ」

「――こんなわけで、ケガ人が出るとまずいからね。そこはわかってて」

「そうですね。被害者が現れてからでは遅いですね……。まだ我が恥ずかしさに耐えたほうがマシです」

サンドラは疲れたのか眠っていたみたいだけど、ファルファとシャルシャがせっかくだからということで起こして連れてきていた。

「シャルシャも今年は手慣れてきた自信がある」

「ファルファもお会計、てきぱきできたよ〜」

「うん、二人ともよくできてたよ！　サンドラもお利口《りこう》さんだったね」

サンドラもサンドラなりにやるべきことをやっていた。母親として、私もそうっと見守っていた。

「まっ、たまには働いてあげるわ。毎日、光合成ばかりしてても能がないしね」

これはまんざらでもないという反応ということでいいだろう。

なお、ハルカラは終わった瞬間にコップでお酒を飲んでいた。

「ぷはーっ！　働いたあとのお酒はいいですね！　働いてない日のお酒もいいですけど！」

「ハルカラ、事前にお酒の用意してたでしょ！　まあ、業務中に飲んでたわけじゃないからいっか……」

課題はあるものの、おおむね成功といっていい。

ミスジャンティーもバックヤードから出てきた。

「皆さんの本日のご活躍、見させてもらっていたけど、参考になったっス。普段の喫茶店でも活《い》かしたいっスよ」

「活かせるのかは不明だけど、そこは店長に任せる」

「店の掃除は明日働く神官が早目に来てやるっスから、皆さんは家でゆっくりしてほしいっス」

それはもう神官ではなく喫茶店の店員なんじゃないかという気もするけど、松の精霊とその神殿の中での問題だから干渉はしまい。

「じゃ、今日はぐっすり眠って、明日の踊り祭り本祭を見て回ろっか」

ファルファが早速露店が楽しみとはしゃいでいた。

もっとも、(魔族のせいで) 今日の時点で大量の露店がナスクーテの町とフラタ村の間にずらりと並んでいるんだけど……。

それでも、フラタ村の中でのにぎわいは明日のほうが大きいはずだ。

帰り、ノーソニアの店で服を一着買いました。

あと、キャンヘインの店はあまりいいものがないので、やめておいた。ごめんね。

◇

踊り祭り本祭当日。私たちも家族で出かけた。

朝からフラタ村の中は昨日以上に市や露店が出ている。

その中にハルカラの商売敵である洞窟《どうくつ》の魔女エノの店もあった。

「もう十分に売れっ子なのに、律儀《りちぎ》にやってるんだね」

店番をしているエノに声をかける。

「やっぱり、お店に立つことで見えてくることがありますからね。工場で経営者をやってるだけだとわからないこともあるんですよ」

後半、エノの視線がハルカラのほうを向いていた。

「いやあ、ハルカラ製薬は全国に商品をお届けしなきゃいけないので、規模が大きくないとダメなんですよね。まっ、それこそが社会的使命だと思ってるんで。わからない人にはわからないでしょうけどね～」

「大量生産でお客様の顔が見えてないんじゃないですか？」

「あれ？　名誉棄損ですか？　裁判しますか？」

祭りの日なんだから、全面戦争するのはやめて！

エノとハルカラは一種の近親憎悪ではないかという気がするが、うかつなことを言って両方からにらまれると損なので、言わないでおく。

あと、今日は露店よりもメインのものがある。

村の中央の広場では老若男女がテキトーな振り付けで踊っていた。

そう、今日はとにかく踊っていればそれで正解の日なのだ。

「姐さん、前回のお祭りでも思ったんですが、リズムも動きもバラバラですけど、こういうのでいいんですか？」

ロザリーに尋《たず》ねられた。たしかに体を動かしてる以外の共通性はない。

「うん、そんなこだわりみたいなのはないの。体を動かしていればそれでいい。あとは、せいぜいケガがなければいいいんじゃないかな」

もう、ファルファとハルカラは踊りの輪の中に入って、勝手に動いていた。

「ロザリーも気軽に参加してね。もちろん、見学するのも自由だけど」

たとえば、シャルシャはサンドラの手をつないで突っ立っている。私も少し抵抗がある側だ。

「そうですね。恥かいたって死ねば一緒ですし、久しぶりにやってみますかね」

ロザリーも手を動かしながら、輪の中に進んでいった。

だんだんと調子が出てくるのがわかる。表情もやわらかくなってくる。

「おっ、シンプルなのに楽しくなってきたぜ！」

うん、楽しめているようでなによりだ。こういうのって、体を動かしてると、自然と楽しくなってくるものなのだ。

しかし――まずい変化があった。

ロザリーが悟ったような顔になって、空へ体が舞い上がっていく！

「うん、楽しいぜ、楽しいぜ！　愉楽《ゆらく》で涅槃《ねはん》の境地だぜ！」

「待って、ロザリー！　ストップ、ストップ！」

あわてて、私は声をかけた。

「うおっと！　危ねえ！　昇天しかけてました！　たんに踊ってただけなのに……」

たしかに、神殿でありがたい説法を聞いたとかじゃないよね。

「ロザリーさん、この踊り祭りには元々死者の霊を慰めるという民俗行事も淵源《えんげん》にある。なので、死者のロザリーさんに効いてしまったと思われる」

シャルシャが専門的な解説をしてくれた。

日本の盆踊りみたいなものか……。

「なるほど……。踊るぐらいでも、気をつけなきゃ危ないんだな。そういや昨日と比べると、あんまり霊がいねえや……」

成仏しちゃったのだろうか。それが目的でやってるのなら、むしろ喜ばしいことなんだけど。

「ロザリー、お祭りはいろんな楽しみ方があるからさ。この雰囲気を楽しんでくれればいいから……」

「ですね……。流れてる音楽を聞いてるだけでも気持ちがいいです」

ああ、踊りのための音楽も流れてるし、ステージからも歌声が聞こえてくる。

しかし、そこでちょっと要注意な言葉が聞こえてきた。

「次に歌ってくれるのはアルミラージのククさんです！」

拍手を受けながら、ステージにリュートを肩にかけたククが上がってきていた。

もはや定番となっているククのステージだ。

また悲しい歌で踊り祭りがトーンダウンするのでは……。そうとしか考えられない……。

「はい、今回は祭りをしっかりと盛り上げられるように努力したいと思います！　というわけでお聞きください。『どうせ死ぬなら』です！」

曲名からして、盛り下がりそうじゃん！

だけど、そこはククも空気を読んでいた。

歌詞の中身はどうせ死ぬなら、わいわい楽しもうというものだった。

曲調もアップテンポでそのまま踊れそうなもの。

「ああ、ククも変化を取り入れてきたんだな」

「宿駅伝の時などでの反省があるのかもしれませんね……。あの時は我も気が沈みました……」

みんな、宿駅伝の時の惨状は覚えてるんだな……。

「昨日からやけにいろんな子が来てるから、本祭も何かやらかすんじゃないかと思ってたけど、取り越し苦労になりそうだね」

「アズサ様、そういう一言はよくないです……」

ライカがまずそうな顔をしていた。

あっ、フラグになりかねないってことか……。

そして、ライカがなぜか両手で腕を包むようなしぐさをした。

「今、悪寒のようなものがしました。何かが来る気がします……」

「来るっていったい何が？　もしかして、ライカの家族とか？」

ハルカラの家族が来たぐらいだから、ライカの家族が来てもおかしくはないんじゃないだろうか。

「いえ、それなら悪寒まではしません。もっと悪質なものが近づいてる――そんな感覚でした」

いったい何がと思ったけど、いきなり、空に雲がかかったようになった。

見上げると、大量のドラゴンが空を舞っていた。

しかも、ブルードラゴン！

「どういうこと？　フラットルテの家族？　いや、それにしても人数が多すぎるよね……」

「フラットルテ、あなた、何か聞いていませんか？」

ライカが白い目でフラットルテのほうを見た。

「本当に何も知らないのだ！　それに、たんに通過しただけかもしれないだろ」

しかし、通過ではなかった。

ブルードラゴンが人の姿になって、ぞろぞろ踊り祭りにやってきた。

「え？　本当にどういうこと？　フラットルテ、抗争に巻き込まれたりしてたの？」

「ケンカするにしても、ブルードラゴンの集落でやってくださいね……。ここで暴《あば》れられるとフラタ村が滅《ほろ》びますから」

「フラットルテはは無実なのだ！　心当たりも何もないのだ！」

フラットルテに心当たりがなくても、向こうが覚えているという危険はあるからな……。

場合によっては被害者が出る前に私が止めに入るしかないか。

ただでさえ人出が多い祭りの日に戦いたくはないけど、緊急事態ならそんなことも言っていられない。

ブルードラゴンたちは村の中心の広場――踊り祭りの真《ま》っただ中のところにまでやってきた。

何もしないでくれよ……。人の形態だから、広範囲にコールドブレスを吐くようなことはできないはずだけど……。

すると、ブルードラゴンたちが一斉に――

――踊りだした。

「普通に踊りに来ただけかい！」

どうやら何も悪意はないらしく、黙々《もくもく》と踊っている。

それと、そこで踊っているブルードラゴンは全体の一部だったらしく、大量の肉の串焼きを買い込んで、買い食いしている連中もいた。

「いや～、祭りはいいよな～」「テンション上がるよね～」「今日は有り金全部使うつもりだぜ」

そんな声が通りかかったブルードラゴンたちから聞こえた。

「どうやら、単純に祭りが目的だったようですね」

ライカも脱力していた。

ブルードラゴンによく狙われていた側だったので、気も張りつめていたんだろう。

「そうみたいだね。でも、なんでここまで……」

フラットルテに用があるブルードラゴンは一人もいないようだし。

シャルシャが踊っているブルードラゴンたちを見ながら言った。

「昔から、節操のない生き方をしている者は、祭礼の日にとことん羽目をはずすという。祭礼の来歴に一切の興味を示さないような者ほどはしゃいで楽しみがち」

「ヤンチャな人あるある！」

そういえば、前世でもお祭りの日に盛り上がってるパンチパーマの人とかいた気がする。

ブルードラゴンと祭りが上手くフィットしたのだろう。

「しかし、ブルードラゴンの集落から、フラタ村は離れすぎていますよね。ここまでわざわざ来るものでしょうか？」

ライカの疑問ももっともだった。地元の祭りじゃないしね。それほどまでに踊り祭りの名前が知れ渡っているってことだろうか。

これに関してはフラットルテが解答をくれた。

「ご主人様、ブルードラゴンは深いことは考えていません。誰かが、ここで祭りをやってるらしいから行こうと言い、暇《ひま》な奴らがぞろぞろ集まってついてきた、そんな程度の理由です。そして、大半のブルードラゴンは暇です」

「かなり説得力がある」

何にでもちゃんとした理由があるというほうがおかしいのだ。

偶然知ったお祭りにやってきました、世の中そんないいかげんな生き方でもいいじゃないか。

ブルードラゴンたちはファルファやハルカラとも並んで踊っていた。

「ちっこいの、あんたら、どこ住み？」とブルードラゴンの女子が言った。

「このフラタ村の近くだよ～」

ファルファが臆《おく》せずに答えていた。

「そっか。涼しくていいとこだね。あとで肉食べに行くんだけど、買ってあげよっか？」

子供には変に優しい！

フラタ村の踊り祭りがこの何年かで急激にカオスになってる気がするけど、実害は出てないようだし、まあ、いいか。お祭りってわいわいやってるものだしね……。

なお、ファルファには知らない人についていっちゃダメだよと言おうとしたけど、その女子ブルードラゴンはフラットルテの知り合いだったので、今回は大目に見ました。

「今年も踊り祭り、いい感じに終わりそうだな」

「げっ、あの人たち、まだ帰ってなかったんですか！」

私の声はハルカラのすごく嫌そうな声にかき消された。

ハルカラの視線の先に、酔いつぶれたハルカラ家族一行がいた。

ある意味、似た者親子！

その日、ハルカラは珍《めずら》しくお酒を全然飲まなかった。確実に家族のせいだと思う。

◇

踊り祭りが終わってしばらく経《た》った頃《ころ》、ギルド職員のナタリーさんが高原の家に来た。

みんな部屋にいたり、買い物に出ていたりしたので、私とフラットルテで応対することにした。

「皆さん、本当にありがとうございました！　これは村長からのお礼状です。あと、こっちは州からのお礼状ですね。事務手続きに時間がかかったせいで、お礼に上がるのが遅くなりました。すみません」

ナタリーさんが私のほうに羊皮紙を渡してきた。

「こういうのを拒否するのもかえって失礼だから受け取るけど、なんで州からもお礼状が来るの……？」

当然、フラタ村も州の一部ではあるけど、私は州の役人と話なんてしてない。

「街道に沿っていくつもお店が並びましたよね。地域の活性化《かっせい》に結びついたので、そのお礼だということです」

あれは魔族が勝手にやったことなんだけど……。

別にお金を渡されてるわけじゃないし、お礼は受け取ってもいいかな。

「ところで、踊り祭り当日のほうはどうだったの？　今回は本祭のほうは一見物人に徹したんだけど」

ゴンドラに乗せられるのは、かなり恥ずかしいからやらなかった。それで踊り祭りが別物になってしまうのはよくないと思うし。

「はい、大盛況でした！　村の税収アップにもつながりそうですよ！」

元気よくナタリーさんが答えた。

「そっか、そっか。地元が潤ってるならなによりだよ。……それと念のために聞くけど、変な事件や事故は起こらなかった？　今年もずいぶん各地からいろんな人が来てたようだし」

具体的に言ってはダメな人もいるので、ぼかして表現しています。

とくに死神が来てたなんて言いづらい。呪われた祭りだと思われても困る。

「あ～、強《し》いて言えば、ブルードラゴンを名乗る人たちが酒場で口論になってましたね」

やばっ！　店で暴れられると大変なことになる！

「でも『上等だ。氷山で決めようぜ』『わかったぜ。行くまでに逃げんじゃねえぞ、コラ！』って言って、どこかに出かけていったので、お店は無事でした」

「戦いの場所が氷山なんだ……」

屋上来いよみたいなノリで氷山使うんだな。まあ、氷山で氷が増えても問題はないだろう。

「いかにも、あいつらがやりそうなことなのだ。しょうもないことでケンカするからな」

ブルードラゴンを代表して、フラットルテが言った。あんまり、見た目で判断してはいけないけど、ブルードラゴンたちならケンカもやりそうだと思う。

「ところで、どんな理由であいつらはケンカしたのだ？」

「この酒場のお金、どっちがおごるかだそうです」

「ああ、お前がおごれ、そっちこそおごれって口論か」

みんな、お金持ってなさそうだし。

「いえ、高原の魔女様、逆です。俺《おれ》がおごる、いいや、自分がおごると口論になりました」

「素直に割り勘にしたらいいのに！」

もう、何が何でもケンカする理由を作ろうとしているような気すらする。

「ご主人様、ブルードラゴンは面子《メンツ》を大切にするんです。相手におごられちゃったら、それは相手のほうが上と認めたようなものですから、引けないんです」

「わからんでもないけど、だからこそ、割り勘にしたらいいのに」

「割り勘なんかにしたら、あいつらは割り勘にするセコい奴らだって思われます。それも無理ですね」

面子の世界も大変だ。

「村の建物が壊れたりしてないならいいか。今後も平和に踊り祭りが運営できますように。ほかに何か変化はない？」

「ああ、そうそう。喫茶『松の精霊の家』がリニューアルして、なかなか評判になってますよ」

「リニューアル？　そんなの初耳だな……」

私たちが働いてるのを見て、ヒントでも得たのかな。

「私も一度行きましたけど、少し歩くだけの価値はありますね。今度、皆さんで朝に行ってみたらどうですか？」


ナタリーさんにそう言われたので、翌朝、私たちは家族で喫茶「松の精霊の家」に行った（ロザリーとサンドラには留守番をお願いした）。場所柄、ハルカラもそのままナスクーテの町に出勤できるしね。

松のトンネルのあたりに変化はない。松に「ＯＰＥＮ」の看板がかかっているだけだ。

この雰囲気だけなら、まごうかたなきオシャレな隠れ家カフェだし、まっとうに評判になりそうな喫茶店を目指してるのだろうか。

しかし、入り口の前に来て、大きな立て看板が増えていた。

「アズサ様、これはモーニングセットということでしょうか？　終日やっているんだったら、モーニングセットではない気もしますが……」

真面目《まじめ》なライカがもっともな指摘をした。

「なんか嫌な予感がしてきた……。とにかく、入店しよう」

お店に入ると、神官の店員さんに空席に案内された。

歩いてくるまでにノドが渇いたので、ひとまずお茶を人数分注文することにした。

「ご主人様、おなかすいてるので、料理も注文したいです。朝食も食べてないからお茶だけじゃ困るのだ」

「フラットルテ、気持ちはわかる。でも、少しだけ待って。確かめたいことがあるから」

そして店員さんがすぐにお茶と、明らかにそれ以外の何かが載ったお皿を持ってきた。

「はい、お茶――とモーニングのパン、サラダ、ゆで卵、チーズ、フルーツ、ナッツです」

「やたらとついてきた！」

「へ～、これならお茶を注文するだけで朝食が完結するからお得ですね♪　工場に出勤する前に使いたくなります」

「我はパンの量が足りないですが、お茶だけでいろんなものがついてくるというのはうれしいですね」

家族はごく自然に喜んでるな。

ファルファとシャルシャも早速、喫茶店での朝食を楽しんでいる。

うん、何の問題もない。素晴らしい光景だ。

しかし、引っかかるところがあった。

「ちょっと、ミスジャンティーと話してくる」

お店のバックヤードにミスジャンティーはいた。

「さて、次はどんなメニューを作るっスかね……。――あっ、アズサさんじゃないっスか」

「ミスジャンティー、今回のモーニングって何をきっかけに思いついたの？」

もっとも、だいたい想像はついている。

「ああ、それはっスね、皆さんが接客をした日の夜、神様からの託宣《たくせん》があって、お茶にモーニングセットをつければヒットするって言われたっスよ！」

やっぱりメガーメガ神様が絡んでたか！

「最初はお茶だけにこんなに料理をつけたら損じゃないかと思ったっスが、来てくれる人が一気に増えたので利益も出てるっス！」

うん、アイディアとしてはちょっとしたひらめきだし、誰かが思いついてもおかしくないことだ。

ただ、これって日本の主に名古屋《なごや》や岐阜《ぎふ》あたりの文化だったはずだし、メガーメガ神様なりに突然の入店をしたお礼をしたってことなのだろうか。

私は家族の席に戻った。

ライカが焼けた鉄板の上に載ったスパゲティーを食べていた。

「アズサ様、この麺《めん》料理、なかなかいけますよ！　スパゲティーの下に卵が敷いてあります！」

これも名古屋あたりにあったやつだ！

この店、絶対に今後も独自の進化を遂《と》げていくな。そう確信した私でした。

終わり

カレーを作って一日、大混乱が起こりました

Morita Kisetsu
森田季節
illust. 紅緒

※本短編はドラマCD第1弾(5巻ドラマCD付き限定特装版)の脚本に加筆修正を加えたものです

●シーン0

アズサN《ナレーション》「私は高原の魔女と呼ばれてるアズサです。見た目はだいたい女子高生ですが、かれこれ三百年ほどスライムを倒したり、薬を作ったりして生活してきました」

アズサN「最近は、ドラゴンの少女のライカ、スライムの精霊で私の娘であるファルファとシャルシャ、トラブルメーカーのエルフであるハルカラと一緒に暮らしています」

アズサN「あと、偉い魔族のベルゼブブに気に入られたらしく、なんか、よくやってきます」

アズサN「さて、私たちの住んでる高原のふもとにフラタ村という村があるんですが、そこで今日まで踊り祭りというイベントをしてて……話の流れでメイド服で村を練り歩いてました」

アズサN「大盛況ではあったんだけど、やっぱりちょっと恥《は》ずかしかったです……。とにもかくにも、お祭りも終わって、私たち家族は高原の家に戻ってきたわけです」

●シーン1

アズサ　「ふ～。今年もフラタ村でのお祭り、終わったね～」

ライカ　「アズサ様、ああいうかわいらしい服はやっぱり気疲れします……」

アズサ　「ライカは村の人から物凄く注目浴びてたもんね……。まっ、一年に一回のことだから我慢《がまん》して」

ライカ　「それって来年も喫茶《きっさ》『魔女の家』をやるということでしょうか……？」

アズサ　「それは今後の展開次第ってとこかな……。でも、村の人みんな、来年も望んでるっぽいんだよね」

ファルファ　「ママー！　ファルファは来年もお祭り楽しみー！」

シャルシャ　「こういう行事は、決して過去に戻ることなどありえない時間というものが、あたかも一年の周期で繰り返されているように認識させるもの。シャルシャも大変興味深く考えている」

アズサ　「シャルシャの言ってることは難しすぎる」

ファルファ　「ママ、シャルシャが言ってるのは、『来年もやりたい』ってことだよー」

アズサ　「ファルファ、解説ありがとね。そうだね、一年に一回ぐらいはお店屋さんごっこもいいかもね。じゃあ、喫茶『魔女の家』はまたやる方向で考えようかな」

ハルカラ　「うい〜、今日はお祭りだから飲みますよ〜」

アズサ　「ハルカラ、あなた、すでに酔っ払ってるから……。見事に千鳥足だから……。むしろ、よく家まで帰ってこられたなってレベル」

ハルカラ　「いえいえ、まだ飲み足りませんから……。うぃ〜。いえ〜い。はっはー！」

アズサ　「あなた、また吐《は》くんじゃないの……？」

ハルカラ　「お師匠様、わたしだって少しは学習していま…………ト、トイレ行ってきますっ！」

アズサ　「ほら、お約束の展開になった！　薬作ってる立場なんだから、自分の体にも、もっと気を配って！」

ベルゼブブ　「あやつは、いつもああじゃのう。大人になると、なかなか性格というのは変えられぬものじゃからのう」

アズサ　「そうだね。それと、ベルゼブブ、あなた、まだいるの？　いや、いてもらってもいっこうにかまわないんだけど、仕事ってどうなってるの？」

ベルゼブブ　「明日までは休暇をとっておるから大丈夫なのじゃ。イベントのちょっとあとまで休暇を入れておくと、疲労もとれるからのう」

アズサ　「たしかに遊んだ翌日からすぐ仕事というのは、体調の切り替えが大変だったりするもんね。たくさん有休がとれる職場でないとかなわないことだけど」

ベルゼブブ　「その点、魔族は労働環境を重視しておるからの」

アズサ「魔族ってそういうところ、すごく進んでるよね。じゃあ、明日は六人分の料理を用意しないとな」

ベルゼブブ「よし、明日の朝は、わらわが料理を作ってやろう！　それならお前らも楽ができてよいじゃろ？　宿代の代わりじゃ」

アズサ「なるほどね、悪い落としどころじゃないな」

ベルゼブブ「明日の朝食はわらわが最高のものを用意するから期待しておるのじゃぞ」

ファルファ「じゃあ、ファルファも手伝うよ～」

シャルシャ「魔族が何を作るのか気になる。見ていたい」

ベルゼブブ「おお、二人ともやってくれるか。うれしいのう、うれしいのう。二人とも実に心がきれいじゃのう」

アズサ「ああっ！　娘たちがベルゼブブにとられる展開に！　そうか、楽をすると娘をとられてしまうのか……」

ライカ「アズサ様、すみません、ちょっとよろしいですか？」

アズサ「あっ、ライカは私にかまってくれるんだね？　さすが妹的存在！」

ライカ「……ハルカラさんがトイレでアンデッドのごとく死んでいますので、介抱《かいほう》の手伝いをお願いいたします」

アズサ「あっ、そういうことね……。うん、わかった。家族は助け合わないといけないからね……」

●シーン2

アズサとライカ　ハルカラのいるトイレへ移動

アズサ　「あなた、モロに青白い顔になってるよ」
ハルカラ　「な、なんで、わたしはこんなにお酒を飲んでしまったんでしょうか……」
アズサ　「こっちが聞きたいよ」
ハルカラ　「飲んでる時はお酒が恋人だと思ってるんですけど、今はお酒が恐ろしい山賊《さんぞく》に思えています……」
アズサ　「どうして薬を作る人間が、ここまで自分の体のことを理解してないの、逆にすごいと思うよ……」
ライカ　「我が思うに、ハルカラさんに足りないのは自制心ではないでしょうか。ここは我と一緒に毎朝修行をいたしませんか？　心も鍛《きた》えられますよ」
ハルカラ　「ごめんなさい。やめときます」
ライカ　「そのうち、口から炎を吐くこともできます」

アズサ　「できるわけないし、仮にもしできたとしても、酔っ払ったハルカラが炎吐いて、火事起こしたりしそうだから絶対にやめてほしい」

アズサN　「こんなわけで、お祭りの日の夜は無事に終わったのでした」
アズサN　「……いや、ハルカラは無事じゃないけど。それは自業自得なのでスルーする」

鍋《なべ》が煮立つ音

ベルゼブブ　「料理は火力なのじゃ！　料理は爆発《ばくはつ》なのじゃ！　料理は涙なのじゃ！」
ファルファ　「うわー！　すごい色だー！　全部黒く染まっていくねー！」
シャルシャ　「いかにも魔族らしい。鼻を突く芳香《ほうこう》、否《いな》、むしろ刺激臭が独特の魅力を持っている」

アズサN　「台所からなにやら恐ろしい声が聞こえてくる……」
アズサN　「嫌《いや》な予感がぷんぷんするんだけど、本当に明日は大丈夫なのかな……」

●シーン3

鳥の鳴き声

アズサ　「ふあ～あ、おはよう」
ファルファ　「あっ、ママ、おはよー！　これが今日の朝食だよ！」
シャルシャ　「大変よい仕上がり。これはおいしい。ぜひ母さんにも食べてみてもらいたい」
アズサ　「あっ、二人とも太鼓判を押してくれるんだね。ちょっと安心したかも」
ベルゼブブ　「おぬし、どうせ失礼なことでも考えておったんじゃろう。わらわは本気じゃからな。さあ、この『強酸性の沼地パン』を食べてみるがよい！」
アズサ　「自信満々なのはいいけど、名前が食べ物じゃないだろ。……とはいえ、見た目はおいしそうなんだよね。これ、前世で言うところの揚げパンに近いな。こんがりキツネ色のパンはたしかに食欲をそそるよ」
ベルゼブブ　「お前の前世のことは知らんが、とにかく食べてみよ。『食べる前の感想ほどつまらぬものはない』と魔族のことわざにもあるぞ」
アズサ　「なるほど。一理あるな。じゃあ、いただきます」

サクサクのパンを食べる音

アズサ「こ、これは！　う、うまいっ！　サクサクのクリスピー生地《きじ》みたいな表面なのに、ジューシーな感じさえあるパン！　そして、いろんな野菜や肉をじっくり煮詰めて水分を飛ばして作った具が最高！　エスニックでスパイシーな味が鼻をくすぐるっ！」

ファルファ「やったー！　ママ、喜んでる！　野菜を炒《いた》めるのはファルファも手伝ったんだよー！」

シャルシャ「努力が報われたこと、参加者の一人として素直にうれしく思う」

ベルゼブブ「うむ、そうじゃ。娘たちが実によくやってくれたのじゃ」

アズサ「おい、ちょっと待て。娘って表現、やめろ」

ベルゼブブ「なんじゃ、お前の娘なのじゃから間違ってはないであろう？」

アズサ「あなたが言うと、マジで自分の娘にしようという魂胆《こんたん》に聞こえるの……。絶対に、絶対に、絶対に、ファルファとシャルシャは養子にはやらないからね！」

ベルゼブブ「そんなことより、パンの感想を言うがよい。娘を誘拐するようなことはないわい」

アズサ「これ、間違いなくカレーパンだよね！　お手本のようなきれいなカレーパンだよ！」

ベルゼブブ「わけのわからない名前をつけるでない。それは『強酸性の沼地パン』じゃ。強酸性の沼地みたいなぴりぴりした味から名付けられたものじゃ。立派な魔族料理じゃぞ」

アズサ「もうちょっとおいしそうな名前つけてよ。でも、こういうパン、私、食べたことあるんだよ。カレーパンって言って、ようはパンの中にカレーって辛《から》いシチューの水分を飛ばしたものが入ってるの」

ベルゼブブ「ほほう。それはちょっと魔族が作るカルエーに似ておるの。この『強酸性の沼地パン』の具もカルエーに近い」

アズサ「魔族にもカレーってあるんだ」

ベルゼブブ「違う、違う。カレーではなくカルエーじゃ、カルエー」

アズサ「その発音にはこだわるんだね……」

ベルゼブブ「なにせ、カルエーじゃからの。まかり間違ってもカレーなんて発音ではないぞ」

アズサ「わかった。水掛け論になりそうだし、この話題はやめにしとく」

ドアが開く音

ライカ「おはようございます」

ハルカラ「う〜、二日酔いで頭の中で猛牛が踊りまくってます……」
アズサ「おはよ、二人とも。ベルゼブブがカレーパンを作ってくれたよ」
ベルゼブブ「『強酸性の沼地パン』じゃ！　何度言ったらわかるのじゃ！　……まあ、よい。おぬしらも賞味してみよ」

サクサクのパンを食べる音

ライカ「おお！　これはなかなか美味じゃないですか！」
ハルカラ「おいしいですね！　ただ……胸焼けしているので、できれば体調がいい時に食べたかったかも……」
ベルゼブブ「そんなことまでは知らんのじゃ……」
アズサ「あ、そうだ。カレー……じゃなくてカルエーも作ってみたいんだけど、ベルゼブブ、レシピある？　多分この『強酸性の沼地パン』の材料があればできるはずだし」
ファルファ「あのね、それじゃダメらしいよー」
シャルシャ「うん。シャルシャもベルゼブブさんからそう聞いている」
アズサ「えっ？　二人とも、どういうことなの？」
ベルゼブブ「ふふふ、たしかにこの具とカルエーはよく似ておる。しかし、この具はパンに入れるがゆえに随分《ずいぶん》と簡略化されておるのじゃ。もし、カルエーそのものを作るとなると、いくつもの貴重な香辛料を入れねばならん。でないと本物のカルエーにはならん」

アズサ　「あっ、そういう本格的なのじゃなくていいんで普通のでいいです」

ベルゼブブ　「ダメじゃ。中途半端《ちゅうとはんぱ》なものを作って、カルエーが中途半端なものだと思われたくない！　最低でもバブの実とハッコ草《そう》とケモーの木《こ》の葉《は》が必要じゃ。……まっ、それを持ってきたら作ってやらんでもないぞ」

アズサ　「面倒そうなんで、やっぱりパスで」

ベルゼブブ　「持ってきたら作ってやらんでもないぞ！」

アズサ　「あっ、これは持ってくるしかない流れだ……」

アズサN　「こうして退《ひ》くに退けなくなった言いだしっぺの私は、各種香辛料を探すことになりました。せっかくなので、バブの実はライカと、ハッコ草はファルファとシャルシャと、ケモーの木の葉はハルカラと探すことにしました」

●シーン4

草をかきわける音

アズサN　「まずはドラゴンになったライカに乗って一番遠方に生えているバブの実を採集しにやってきました」

アズサ　「わざわざご足労かけてごめんね。責任の半分は私に、あとの半分はベルゼブブにあるから」

ライカ　「お気になさらないでください。ある種、これも調薬で使う薬草探しの延長線上ですし。それに……アズサ様と二人でお仕事をするのはうれしいですし……」

アズサ　「ありがとう。そう言ってくれると私もうれしいよ！」

ライカ　「それにしても、かなり緑の濃い森ですね。蔓《つる》がよく足に引っかかります」

アズサ　「そうなんだよね。でも、バブの実ってかなり特殊な木の実らしいけど、スパイスにもなるんだ」

ライカ　「それはどういう実なんですか？」

アズサ「乾燥してるものは大丈夫なんだけど、生のものには動物の精神に作用する成分があるんだよ」

ライカ「もしや、麻薬的なものでしょうか？」

アズサ「あっ、そんなに危険なものじゃないらしいし、中毒になるようなものでもないんだよ。ただ、一時的な幼児退行《ようじたいこう》を引き起こすって言われてるの」

ライカ「幼児退行……ですか？」

アズサ「うん。近くの人間にやたらと甘えたくなったりするらしいよ。とくに普段真面目《まじめ》な人間ほど強く効くらしいから、ライカなんかはあんまり実は踏んづけないように気をつけたほうがいいかも」

ライカ「なるほど。ですが、我は普段から心も鍛えていますから、乗り越えられる自信があります」

アズサ「たしかにライカなら、どうにかなるかも。でも、まずは落ちてる実を踏んづけないように注意してね」

ライカ「ですね。あっ……！！！」

何かを踏みつぶした音

アズサ「ん、どうしたの⁉　ヘビでもいた？　けど、ドラゴンのライカならヘビなんて怖

ライカ　くないよね」
アズサ「すいません、何か木の実らしいものを踏んでしまったようなのですが……」
「あっ、それ、多分、ババブの実だ……。あんまり香りを嗅《か》がないようにしたほうが
――あれ？　ライカ？　なんで涙目になってるの……？」

ライカ　幼児退行する

ライカ「アズサ様、我は、我は……心細いです……」
アズサ「もしかして、幼児退行しちゃった……？」
ライカ「いつもは気にせずに楽しく高原の家で暮らしているのですが……その……ふいに両親と離れて暮らしてることを思い出してしまうというか……」
アズサ「ああ、ホームシックなのか。そういうこともあるよね」
ライカ「うわぁ〜〜〜〜〜ん！　うわぁ〜〜〜ん！　寂《さび》しいよう、怖いよう……」
アズサ「わわわっ！　泣かないで、泣かないで！　怖くないからね！　ほら、私がいるからね！　大丈夫だよ、大丈夫だよ！」
ライカ「うん、お姉ちゃんの香り、安心する……」
アズサ「私はお姉ちゃんなんだ……。まあ、いっか。うん、アズサお姉ちゃんが守ってあげるからね。何も怖くないよ。お〜、よしよし。ライカはいい子だね〜。いい子

ライカ　だね～」
アズサ　「お姉ちゃん、背中撫《な》でて……」
　　　　「………うん」

アズサ　ライカの背中を撫でる

アズサ　「これでいい？　少しは落ち着いた？　不安なことがあったら、全部言っていいからね～。ライカはいつもお利口《りこう》にしすぎてるから、今日は甘えていいからね～。……何日もこれが続くと困るけど、バブの実の効力って知れてるはずだし」
ライカ　「ありがと。お姉ちゃん、とってもあったかい」
アズサ　「そっか。それはよかったよ」
ライカ　「お姉ちゃん、膝枕《ひざまくら》して」
アズサ　「バブの実の効果すごいな。どんどん要求してくるな……。でも、それぐらいなら、いっか。はい、アズサお姉ちゃんの膝に頭載せなさい」
ライカ　「ありがとう、お姉ちゃんの上だと安心する……。家族と離れればなれでも寂しくない……」
アズサ　「そっか。バブの実の場所はわかったわけだし、ゆっくりしてていいよ。たまには

ライカ　たっぷりと甘えてなさい」
アズサ「……あのね、もう一つ聞いていい？」
ライカ「いいよ、いいよ。甘えちゃいなさい」
アズサ「我はお姉ちゃんみたいな立派な人に、なれるかな……？」
ライカ「それもライカの不安の種なんだ」
アズサ「だって、お姉ちゃん、すごくこつこつとスライム倒して、実績を積み重ねてきたから……。そんなに長く同じことをするなんて、自分にできるかなって……」
アズサ「できるに決まってるよ。だって、ライカはアズサお姉ちゃんの自慢《じまん》の妹なんだから！」
ライカ「そ、そうかな……」
アズサ「お姉ちゃんを信じなさい」
ライカ「うん、我、頑張る……」
アズサ「うん。でも、今は頑張らなくていいよ。ちょっと休んでなさい」

時間経過

アズサ「………………寝ちゃったか。まっ、たまにはこういう時もあっていいかな。できれば膝が痛くならない程度の時間の膝枕だとうれしいかな」

時間経過　ライカ目覚《めざ》める
ライカ「ふあああ！　我としたことが！」
アズサ「あっ、起きたんだ。おはよう、ライカ」
ライカ「すいませんっ！　どうやらバブの実のせいでアズサ様にかなり恥ずかしいことをしてしまったような……。すいません、すいません！」
アズサ「そんなに謝らなくていいよ。それよりも、アズサお姉ちゃんの膝枕はどうだった～？」
ライカ「ア、アズサ様……そうやってからかうのはやめてください……。わ、我は基本的にそういう甘えるキャラじゃないですから……。うわ～、思い出しただけで口から火を噴きそうです！」
アズサ「それを言うなら顔から火が出るだから！　ライカの場合、本当に口から火を噴いちゃうから気をつけてね！　山火事になるから！」
ライカ「じ、自制します……」
アズサ「まっ、深層心理の本音が聞けてよかったかな。やっぱり、家族と離れて暮らすのって、たまに寂しくはなるよね」
ライカ「そ、それは、まあ……あくまでも、たまにですから……」

アズサ　「たまにはなるんでしょ。私が代わりになれるかはわからないけど、甘えたい時はしっかり甘えたらいいんだよ。家だと恥ずかしいかもしれないけど、ここなら問題ないでしょ」

ライカ　「…………あの、もう一度、頭と背中を撫でていただいてよろしいでしょうか……？」

アズサ　「かわいい妹のためだったら、しょうがないな～。ほら、来なさい」

ライカ　「は、はい……。我はアズサ様にご指導受けた分、いつか必ず必ず恩返ししますので……」

アズサ　「おおげさすぎるよ！」

アズサN　「幼児退行したライカに甘えられたけど、これはこれでいいかもと思ったバブの実採集でした」

●シーン5

アズサN　「今度はお昼にライカに娘二人と乗って、草原でハッコ草を探すことになりました。ライカは疲れてるだろうし、休んでてもらってます」

ファルファ　「わーい！　すっごく広い野原だよー！」
アズサ　「こらこら。ファルファ、あんまり走ってると転んじゃうよ」
シャルシャ　「広大無辺。思索には最適。自分がいかに矮小《わいしょう》な存在であるかを知ることができる。これこそ、自分を知るということにつながる」
アズサ　「シャルシャ、いきなり座り込んで瞑想《めいそう》するのはやめようね……。もうちょっと子供っぽく……こう、野原走ったりしてもいいんだよ？　二人とも両極端すぎる」
ファルファ　「ところで、ハッコ草ってどんな草なの？」
アズサ　「ほかの草に交じって、一人だけ我関せずって感じで、紫色《むらさきいろ》の花を咲かせてるらしいよ。だから、紫色の花を探してね」
シャルシャ　「紫というと、高貴なる者の色。なんとも超然としている植物」
アズサ　「そういう植物みたいだね。あと、花粉はあんまり吸い込まないようにしてね。軽い幻覚作用を起こすことがあるらしいから」
ファルファ　「はーい。ファルファ、いい子だから言いつけ守るよー」
シャルシャ　「ところで、母さん、幻覚作用ってどんなことが起こるの？」

アズサ　「効果は弱いから大人にはほぼ何もないみたいなんだけど、子供が吸い込むとね、微妙に反抗期っぽくなっちゃうらしいんだ。ハッコ草の花みたいにほかのものには染まらないぞって感じになっちゃうの」

ファルファ　「ふーん。でも、ファルファが反抗期になるなんてないけどね。ファルファ、ママのこと大好きだし！」

アズサ　「そうだね。これからもずっとママのこと、大好きでいてね！」

シャルシャ　「反抗期……よくわからないけど、盗んだワイヴァーンで飛び出すようなものらしい」

アズサ　「ワイヴァーンを盗むの、難易度高すぎるでしょ」

シャルシャ　「ほかにも教会のステンドグラス、割っていったりするらしい」

アズサ　「普通に極悪人《ごくあくにん》だな……」

虫の鳴き声　草をかきわける音

ファルファ　「どこかな、どこかな～。ハッコ草、どこかな～」

シャルシャ　「こういうのは、実は自分のすぐそばにあったというオチだったりするもの。自分のすぐそばには…………ない」

アズサ　「そこそこ珍《めずら》しい植物らしいし、ピクニック気分でのんびり探そうね。ママとして

ファルファ　は二人と日光浴してるだけでも楽しいぐらいだし」
アズサ　「ハッコ草、どこ～？　どこですか～？　あっ、カメムシだ～！」
シャルシャ　「ファルファ、それは臭くなるから触っちゃダメだよ！」
アズサ　「シャルシャは眠くなってきた」
「シャルシャはもうちょっとしっかりと探そうね！　これ、思ったより長丁場になるかな」

時間経過

ファルファ　「ママ、花の髪飾りだよ～！」
シャルシャ　「母さん、花で自分を荘厳《しょうごん》してみた」
アズサ　「おお！　二人ともすごくかわいいよ！　紫の花がとってもきれい！　…………あれ、紫？」
ファルファ　「これって、ハッコ草かな～？」
シャルシャ　「草は自分の名前も知らない。されど、美しき花をつける」
アズサ　「ちゃんと見つけてたんだね！　グッジョブだよ！」
ファルファ　「この花、とっても、いい香りだよ！」
シャルシャ　「草は自分の名前もしらない。されど気品のある芳香を漂《ただよ》わす」

アズサ「あれ？　二人とも香りを嗅いじゃったの……？　反抗期になったりしないでよね……？」

ファルファとシャルシャ　反抗期になる

ファルファ「…………。ママ、ファルファ、こんな子供っぽい服は嫌だ。スカートももっと短くしたい」
アズサ「えっ？　ファルファ、何言ってるの⁉」
シャルシャ「シャルシャは思う。勉強なんてつまらない。勉強などしても無意味。もっと、何も考えずに破滅的に、刹那《せつな》的に遊んで暮らす。世の中、なるようになる。今日もサボリ、明日もサボリ」
アズサ「シャルシャもどうしちゃったの⁉　ほんとにハッコ草のせいで変になっちゃった……」
ファルファ「シャルシャ、草探しなんてダサいことやめて、酒場に行ってお水飲みに行こう」
シャルシャ「心得た。酒場だけが心を慰めることができる」
アズサ「ダメだよ！　二人ともまだ酒場は早いから！　そんな不良みたいなことを言っちゃダメだよ！　……まあ、飲むのがお水ならいい気もするけど」
ファルファ「ママ、どいて。ファルファはかったるいことは嫌なの」

シャルシャ　「親の言うことには、何かと反発したくなる」
アズサ　「わー！　二人がグレちゃった！　早く元に戻ってよ！　ママ、泣いちゃうよ！」
ファルファ　「ふーんだ。ママなんて嫌い」
シャルシャ　「子供とは親を泣かすもの」
アズサ　「ファルファに嫌いって言われた……。反抗期のファルファに嫌いって言われた……。ハッコ草のせいでもちょっとショック……。反抗期で背伸びをしようとしてる二人も、それはそれでぶっちゃけかわいいけど、ショックはショック……」
ファルファ　「ふん……ファルファは悪い子だからね！　家に帰ったらスカートをすっごく短くして、カマキリさん追いかけるんだから！」
アズサ　「あぁ……全体的に不良になりきれてない！　ファルファ、やっぱりかわいい！」
シャルシャ　「シャルシャは図書館で反体制的な思想書をたくさん読む」
アズサ　「あぁ……シャルシャも勉強家っぽさが抜けきってない！　シャルシャもかわいいよ！」
ファルファ　「じゃあ、ファルファたちは先に帰るからね。シャルシャ、行くよ」
シャルシャ　「ちょっと待ってほしい」
ファルファ　「シャルシャ、どうしたの？」
シャルシャ　「反抗はしたいけど……母さんを放っていくのは罪悪感がある……。どうせ自分たちは子供……。反抗している親のお金でごはんを食べている……。このような反抗は極《きわ》めて中途半端……」

アズサ　「あっ、不良がよく陥《おちい》る、逆らってる親に養ってもらっているジレンマだっ！」

ファルファ　「ちょっと、ずるいよ、シャルシャ……。ファルファだって……罪悪感とか、あるし……。ママに悪いと思ってなくもないし……」

アズサ　「ああ、もう！　二人ともかわいいなっ！　塩を振ることでかえって甘さを引き立たせるみたいな効果が出てるよ！　二人とも抱き締めてやるからっ！」

ファルファ　「ちょっと、ママ！　苦しいよ！」

シャルシャ　「反抗期なのに……」

アズサ　「二人が反抗期でもママからの愛は何も変わらないからね！　それに二人がママを愛してくれてることもわかるんだからね！」

ファルファとシャルシャ　泣き出す

ファルファ　「ママ、ごめんなさい！　ママ、大好きだよ！」

シャルシャ　「幻覚作用ごときに負けてしまった。母さん、ごめん……」

アズサ　「よかった！　二人とも元に戻ったんだね！　ママ、うれしいよ！」

アズサN　「娘のプチ反抗期はあったものの、無事にハッコ草も手に入りました。あと、反抗期の娘はそれはそれで愛《め》でたくなりますね。この二人なら反抗期が来ても大丈夫そうです」

●シーン6

アズサN　「最後はケモーの木の葉をハルカラと探します。夕方には材料全部揃《そろ》うかな」

ハルカラ　「ケモーの木ってけっこう家の近くにあるんですね」

アズサ　「うん。高原にはあまり生えてないらしいんだけどね。ここ、夏は割と気温上がるし」

ハルカラ　「ケモーの木ってエルフの土地だとそこそこポピュラーなんですけどね。あっ……」

アズサ　「うん？　どうしたの？」

ハルカラ　「木の枝に胸が引っかかりましたぁ……」

アズサ　「嫌味か！　私への嫌味か！」

ハルカラ「お師匠様、形がいいかどうかのほうが大事ですよ」

アズサ「なんだ、それ！　勝者の余裕か！」

ハルカラ「別に胸が大きいメリットとかないですって……。それより、ケモーの木って毒があるんで、気をつけてくださいね。エルフはどっちかというと避けます」

アズサ「また、何か幻覚作用でもあるの……？　二度あることは三度あるからな……」

ハルカラ「そういう毒じゃないですよ。ただ、あまり触ると手がかぶれるんです。なので、葉っぱの採取も手袋を使ったほうが無難《ぶなん》ですね」

アズサ「……今日のハルカラ、なんかエルフの調薬師みたいだね」

ハルカラ「いえ、調薬師みたいじゃなくて、まさにそうですから！　お師匠様、まあまあ辛辣《しんらつ》ですよ！」

アズサ「まっ、かぶれるとかそういう毒なら心配もないね。名前的に、また獣みたいになっちゃうのかと心配してたんだけど」

ハルカラ「そんなことはないですよ。とっとと見つけて、今晩はカルエーをベルゼブブさんに作ってもらいましょう！」

アズサ「なんか、今日のハルカラ、ノリノリだね」

ハルカラ「体に残ったアルコールを溶かしてくれる『野性の力《ちから》ジュース』というわたしの特製ドリンクを飲んできたんです」

アズサ「また、変なドリンク作ったんだね……。でも、その名前、聞いたことないなあ」

ハルカラ　「試作品ですからね。副作用がなければ、将来的には商品化することも考えていますよ。アルコールを急速に分解する飲み物はきっと需要もありますから！」
アズサ　「副作用……。なんか、不吉な単語を聞いたような……」
ハルカラ　「お師匠様は気にしすぎですよ～。飲むと死ぬような毒は一切《いっさい》入ってないですから！　少し気分が高揚するぐらいですけど、それもちゃんと合法的な範囲で抑えていますし！　大丈夫です、絶対大丈夫です！」
アズサ　「ハルカラの『絶対大丈夫』はフラグにしか聞こえないんだけど……」

草をかきわける音

ハルカラ　「あっ、あれはケモーの木ですよ。無事に見つかりましたね！」
アズサ　「左右に枝が角みたいに伸びてるんだね。思った以上に目立つな」
ハルカラ　「あれを採取すれば、ミッション完了ですね！　ねっ、お師匠様、何も問題なかったガウー。あとは帰るだけガウー！」

ハルカラ　獣状態になる

アズサ　「…………ハルカラ、今、ガウーって言わなかった？」

ハルカラ「あれ……思考が混濁《こんだく》していくガウ……。二足歩行がつらくなってきたガウ……。これはよもや『野性の力ジュース』の副作用ガウ⁉」
アズサ「ほらー！　きっちり謎《なぞ》の力みたいなのに飲まれちゃってるじゃん！　ちょっと！レディが四つん這《ば》いにならないで！　はしたないでしょ！」
ハルカラ「ガウガウ、ガウー。わたしは魔獣エルフドンだガウ……」
アズサ「ほら、変なこと口走り出した！　解毒《げどく》の魔法を使うから待ってて！」
ハルカラ「すでにドリンクはすっかり体に浸透しているガウ。解毒ももはや手遅れガウ」
アズサ「なんで、そういうところは冷静なの⁉」
ハルカラ「魔獣エルフドンは賢いのだガウ！」
アズサ「けど、これは困ったな……。完全に野性化して森の奥とかに入っていかれるとケガするぞ……。私のほうで保護するしかないか」
ハルカラ「餌、餌、餌……。野ネズミ、野ウサギ、キツネ……」
アズサ「大変だ……！　狩りをすることしか頭にない状態になってる……」
ハルカラ「オオカミ、ドラゴン、ゴーレム……」
アズサ「さすがに狩れないでしょ！　それとゴーレムなんて食べれないでしょ！　さあ、おいで～」
ハルカラ、こっちだよ、こっちだよ～。怖くないよ、怖くないよ～。おいで、お
ハルカラ「わたしの名は魔獣エルフドンだガウ」

アズサ　「設定へのこだわり、イラッとするな……。ほ、ほら、エルフドン、おいで～。私についてきたら、鶏肉《とりにく》も豚肉も牛肉も食べられるよ～」

ハルカラ　「魔獣エルフドンはどちらかというと菜食主義だガウ」

アズサ　「そこはエルフのライフスタイルが勝つんだ⁉　……だったら野ネズミとか野ウサギとか言うのやめなよ！　設定ブレてるじゃん！」

ハルカラ　「でも、この人間はおいしそうだガウ～！」

ハルカラ　アズサに跳びかかる

アズサ　「わわわっ！　暴《あば》れないでったら！　いきなり来るから尻餅《しりもち》ついちゃったじゃない……」

ハルカラ　「魔獣エルフドンは獣なので、相手にのしかかることで優位さをアピールするのだガウ」

アズサ　「まさか、比喩じゃなくて本当にマウンティングされるなんて……」

ハルカラ　「魔獣エルフドンは相手がメスの場合、胸の大きさで優位さをアピールするのだガウ」

アズサ　「うわっ！　押しつけてくるな！　嫌味なことするな！　どうせ、こんな弾力性まではないよ！」

ハルカラ「さらに魔獣エルフドンは相手に自分のにおいをつけようとするのだガウ。これはマーキングなのだガウ」

アズサ「わっ、くすぐったい！　ちょっと！　顔なんて舐《な》めちゃダメだって！　犬や猫ならいいけど、あなた、ハルカラだから！　エルフの女の子だから！」

ハルカラ「お師匠様、いいにおいです……うっ、頭が……。魔獣エルフドンが何者かに乗っ取られそうになったワン」

アズサ「いや、それで合ってたから！　ハルカラのほうが勝って！　もう舐めたりしないで！」

ハルカラ「わたしはエルフドンだワン！」

アズサ「語尾《ごび》がガウからワンに変わってるし！　やっぱり設定がブレてんじゃん！」

ハルカラ「ガウーガウー、もっと舐めるガウ！」

アズサ「ひゃ、ひゃははは！　やめて、首筋はくすぐったいから！　そういうのダメだってー！」

ハルカラ「今日のお師匠様、いつもよりかわいいですね。なんか……、こう、その、たぎりますね……ガウ」

アズサ「たぎるって何よ！　それと、ほぼ戻ってきてるじゃん！　あなたはハルカラだから！　魔獣とかじゃないから！」

ハルカラ「ハルカラ……？　なんか、そんなぽんこつなエルフの名前を聞いたような……」

アズサ　「なんで自虐的なの？　なかなか戻らないなぁ……。とっとと、頭冷やしてよ。元に戻ってよ。………あっ、そうだ！」
ハルカラ　「ガウガウガウー」
アズサ　「氷で魔法作って本当に、おでこを冷やしてやる！」

魔法の音

アズサ　「ほら、冷たい氷だよ！　これで思い出して！」
ハルカラ　「ひゃうぅ！　冷たいです！　うぅ……は、は、は、はくしゅんっ！　うぅ……風邪《かぜ》ひいちゃいます」
アズサ　「ほら、また口調がハルカラに戻ってるよ！」
ハルカラ　「………あれ、わたしはものすごく不思議な夢を見ていたような……」
アズサ　「ハルカラ、元に戻った⁉　戻ったよね⁉」
ハルカラ　「はい、お師匠様、わたしはハルカラですけど、何かありましたか？」
アズサ　「事情は後で話すから、ひとまず私の上からどいてくれない？」
ハルカラ　「えっと……あああああ！　ごめんなさい！　本当にごめんなさい！　わたしとしたことが……。許してください！　なんでもしますから！」
アズサ　「じゃあ、ケモーの木の葉、とってきてくれるかな……」

アズサN　「こんな調子で、いろんなトラブルがあったものの、カルエーに必要な香辛料の材料はおおかた揃ったのです。あとは、ベルゼブブと言いだしっぺの私とでカルエーを作るだけです」

●シーン7

アズサとベルゼブブ　台所に立つ

ベルゼブブ　「ふふふ、よくぞ、すべての香辛料を揃えたの。今こそ、カルエーの扉が開かれるじゃろう！」
アズサ　「なんで、そんなに壮大なの……」
ベルゼブブ　「明日から出勤じゃからの。最後の休みを満喫しておるのじゃ」
アズサ　「なんか、理由が生々《なまなま》しいな」
ベルゼブブ　「では、カルエーの調理を開始するぞ。まず、タマネギ・ニンジン・その他の野菜、鶏肉を一口大に切るのじゃ。今回はチキン・カルエーじゃ」
アズサ　「やっぱりカレーだな。切るの手伝うよ」
ベルゼブブ　「ちなみにすでに切っておる材料がこちらなのじゃ」
アズサ　「もう切ってるんだ⁉」
ベルゼブブ　「この材料を大きな鍋に入れて、しばらく弱火で三十分は根気よく炒めていくのじゃ。ここで手を抜かずにタマネギがトロトロの飴色《あめいろ》になるまでやるのがおいしいカルエーを作るコツじゃな」
アズサ　「じゃあ、その根気のいる作業は私がやろうかな」
ベルゼブブ　「そして、こちらが三十分炒めた具材になるのじゃ」
アズサ　「また、すでに作ってあるんかい！」
ベルゼブブ　「このあたりの作業は香辛料がなくてもできるからのう。先にやっておったのじゃ」
アズサ　「ちょっと、ちょっと！　まさか、すでに完成品がありますよってオチじゃないでしょうね……？　これで香辛料が無駄になったら私、怒るよ？」
ベルゼブブ　「そ、それは大丈夫じゃ……。鍋でよく炒めた具の中に水を投入する。そして、沸騰するまでぐつぐつと煮るのじゃ。鍋の底でひっつかないように、ちょくちょくかき混ぜるとよい」
アズサ　「じゃあ、かき混ぜ役はやるよ。しかし、本当にカレーそのものだな……」
ベルゼブブ　「よ～く混ぜるのじゃぞ。カルエーに関する格言で『練れば練るほど色が変わる』

アズサ　という言葉があるほどじゃからの」

ベルゼブブ　「どっかのお菓子《かし》みたいな言葉だな……。まぜまぜ、まぜまぜ。これ、シチュー料理の一種と考えれば、こういう料理があってもおかしくないのか。あっ、だんだんとお鍋の中が熱くなってきたな」

アズサ　「そうじゃろう？　そうじゃろう？　ここにあるものを入れると、一気にカルエーらしくなるのじゃ」

ベルゼブブ　「秘伝のカルエーパウダーでも入れて味をつけるんだよね。でないと、朝のパンの中身みたいにならないから」

アズサ　「ふっふっふ。ここに投入するのが、『極みカルエーのルー』じゃ！」

ベルゼブブ　「なんか市販のルーみたいなのが出てきたっ！」

アズサ　「魔族の家庭には、たいていこの『極みカルエーのルー』があるのじゃ。これを使えば、簡単にお店の味を出せるのじゃ」

ベルゼブブ　「そんなのでお気楽に作るんだったら、香辛料を取りに行かせないでよ！」

アズサ　「あの香辛料はさらに深みを与えるために最後に隠し味で使用するのじゃ。これで、グレードを上げることができるのじゃ」

ベルゼブブ　「なんか、腑《ふ》に落ちないな……。じゃあ、そのルー、入れてね」

アズサ　「うむ。あとはルーをゆっくりと溶かしていって、ルーの味が具全体に染《し》み渡《わた》ったら完成じゃ。おいしいぞ、おいしいぞ～」

アズサ　「もう、どっからどう見てもカレーだな……」
ベルゼブブ　「最後におぬしらが調達した香辛料をわらわオリジナルの割合で配合したものを投入して完成じゃな！」

完成音

アズサ　「おー！　なかなかいいものになったねー」
ベルゼブブ　「早速、深いスープ皿に盛りつけて、パンをひたして食べるのじゃ。ファルファとシャルシャの喜ぶ顔が見ものじゃの～」
アズサ　「うん。これで完成なんだけど……」
ベルゼブブ　「む？」
アズサ　「念のため、やってほしいことがあるの」
ベルゼブブ　「やってほしいこと？　なんじゃ？　『おいしくな～れ♪』みたいなやつか？」
アズサ　「それ、厨房でしてもしょうがないやつでしょ。味見というか毒見をやって」
ベルゼブブ　「おぬし、失礼な奴《やつ》じゃの……。材料に何が入っておるかはおぬしも見ておったではないか……」
アズサ　「どうも、今日は厄日《やくび》というか、みんな変になる日だから。これもブレンドの割合を間違えて急におかしくなる――だなんて危険がないとも言えないんだよね。

ベルゼブブ　家族の身を守るためにも毒見を要求するよ」

アズサ　「ふむ……、味見ぐらいはしたほうがよいしのう。たしかにこの材料で、かつて惚《ほ》れ薬を作っておったこともあるそうじゃが、そんなのは迷信じゃ、迷信」

「うわ、いかにも何か起こりそうな発言！」

ベルゼブブ　一口味見する

ベルゼブブ　「うむ。実にまろやかで、それでいてコクのある味わいじゃ。プロ顔負けの味じゃな。さすがに香辛料を加えただけのことはある」

アズサ　「まっ、たしかに見た目はおいしそうではあるんだよね。調理自体もしっかりしてるし」

ベルゼブブ　「ほら、どうということはなかろ………うっ、ううっ！　うううっ！」

アズサ　「げっ！　ベルゼブブ、大丈夫!?」

ベルゼブブ　「か、か、体が燃えるように熱い……のじゃ……」

アズサ　「まさか、カレーが激辛だったとか!?　ほら、しっかりして！　立てる？　立てないようだったら、私にもたれかかって！」

ベルゼブブ　「あ、あ、あ……アズサよ……」

アズサ　「何？　ひとまず、ベッドに連れていくからね」

ベルゼブブ　「おぬしは……ほんとに、かわいいのう……」
アズサ　「………はっ？」
ベルゼブブ　「おぬしの顔を見ると、体が炎になったようじゃ……。この、ほてりを止めてくれんかのう……」

アズサ　どこからともなく氷を取り出す

アズサ　「はーい、こんなこともあろうかと、ここにすでに用意していた、魔法で作った氷のかたまりがあります」
ベルゼブブ　「はぁ、はぁ……。おぬしと結婚して、ファルファとシャルシャを正式に娘ということにさせてくれ……」
アズサ　「この氷を正気に戻るまでおでこに思いっきり押しつけてみましょうねー。あと、惚れ薬が効いてても、娘めあてなんだね……」
ベルゼブブ　「ちゅ、ちゅめたいのじゃ！　そんなにひどく扱わんでほしいのじゃ……」

アズサ　どこからともなく大量の氷を取り出す

アズサ　「まだ、足りないようなので追加の氷を入れましょうねー」

ベルゼブブ　「冷たい、冷たい、冷たいっっっ！　は、はっくしゅんっ！　…………しまった、わらわとしたことが……バブの実とハッコ草の分量を間違えておった……」
アズサ　「ほらね、こういう日はほんとに重なるものだからね。もっかいやり直そう」
ベルゼブブ　「う、うむ……。迷惑をかけたの……」

アズサN　「このあと、カルエーを作り直して、ちゃんと完成品が夕食の場には並びました」

●シーン8

アズサ　「はい。これが今日の夕飯だよ。みんな、パンをひたして、どんどん食べていってね。具もかなり入ってるからね！」

サクサクのパンを食べる音

ライカ　「おおっ！　これは我が今までに食べたことのない刺激的な味です！　目が覚める

ようです！」

アズサ「たしかに、かなりスパイシーにはなったかもね」

ハルカラ「ああっ！　これは強いお酒が進みそうですね！」

アズサ「これとお酒って合うのかな……？　ハルカラ、飲みたい理由探してるだけなんじゃない……？」

サクサクのパンを食べる音

ファルファ「すっごくおいしいっ！　ベルゼブブのお姉さん、ありがとうっ！」

シャルシャ「いくらでもパンを食べられる。しかも、野菜もこの濃い味つけなら、気にせず食べられる」

アズサ「そういや、カレーって子供が大好きな料理なんだよね」

ベルゼブブ「カレーではなく、カルエーじゃ」

アズサ「はいはい、カルエーだね」

ファルファ「一週間ずっとこれでもファルファはいいよっ！」

ベルゼブブ「そうか、そうか。ならば、ファルファのために一週間毎日作ってやろうかのう」

アズサ「いや、あなた、明日から出勤日なんでしょ」

ベルゼブブ「はっ。そうじゃった……。働かねばならんの……」

アズサ　「やっぱり勤め人も大変だね」

ベルゼブブ　「うむ、また休日にカルエーを作りに来るのじゃ……」

アズサN　「ベルゼブブはカルエーを食べると、魔族の土地へ帰っていきました」

アズサN　「あとは、私がお皿を洗うだけだ」

ハルカラ　「お師匠様、ちょっとすいません」

アズサ　「あれ？　どうしたの、ハルカラ？　カルエーの食べすぎ？」

ハルカラ　「ど、どうも、わたしの食べた箇所、香辛料が固まっていたみたいで……なんか食べてから体が熱いんですよね……？」

ハルカラ　アズサににじり寄る

アズサ　「………嫌な予感がするから、魔法で氷作るからちょっと待ってくれるかな」

ハルカラ　「お師匠様、わたし、体がほてって……我慢できません！」

アズサ　「ダメだから！　我慢して！　絶対、香辛料のせいだから！」

ハルカラ「お師匠様、わたしを舐めてもらえないでしょうか……？」
アズサ「舐めないよ！　ああ、もう……。次回からはカレーは絶対に香辛料ナシで作るぞっ！」

終わり

知らないうちに
家族にお祝いの計画されてました

Morita Kisetsu
森田季節
illust. 紅緒

※本短編はドラマCD第2弾（7巻ドラマCD付き限定特装版）の脚本に加筆修正を加えたものです

このお話は、2巻収録「ハルカラ卒業疑惑」編のあとのお話です

●シーン1

ハルカラ　ナスクーテの町で工場新設の準備中

ハルカラ「ふう～。『ハルカラ製薬』の工場の準備もずいぶん進んできましたね～」
ハルカラ「さて、お昼の休憩をしましょう～。ここは自社商品の栄養ドリンク『栄養酒』を一杯いただきましょうかね」
ハルカラ「…………いや、ここは、いっそ本当のお酒でもいいのでは？」
ハルカラ「でも、日中からお酒というのはダメ人間な感じがありますし……。ここは思案《しあん》のしどころですね……。じっくり悩みましょう……。う～ん。う～～ん」

時間経過

ハルカラ「よし！　結論が出ました！　やっぱり自分へのご褒美ということでお酒を飲みましょう！」

ベルゼブブ「おぬし、何をやっとるんじゃ？」

ハルカラ「わわわっ！　べべべべべルゼブブブブブブブブブさんじゃないですか！」

ベルゼブブ「あわてすぎじゃろ……。無茶苦茶《むちゃくちゃ》、べとブが増えておる。それと、じっくり悩むと言ってた割に数秒で結論が出ておったぞ」

ハルカラ「しょうがないですよね。大人はお酒に勝てませんよね～」

ベルゼブブ「勝手に大人すべての意見にするな。それで、いったい何をしとるんじゃ。ここ、おぬしらの近所の村からはちょっと離れておる町じゃろ」

ハルカラ「それを言ったら、ベルゼブブさんのほうがよっぽど魔族の土地から離れてますけどね……。それは置いておくとして、私はこのナスクーテの町に工場を作ってるんです」

ベルゼブブ「おお！　ついに『栄養酒』が量産体制に入るのか！　やったのじゃ！」

ベルゼブブ「大量に大人買いせねばならんの！　いや、むしろ農務省の予算で工場ごと買うかのう！」

ハルカラ「工場作ってる最中から買収しないでくださいよ！」

ベルゼブブ「まあ、工場ごと買うのは冗談じゃ。それにしても、めでたいわ！」

ハルカラ「あっ、そうだ。めでたいと言えば……」
ベルゼブブ「ん？　なんじゃ？　なんかあったのか？」
ハルカラ「先日、お師匠様たちに祝ってもらったんですよ。実は、わたしが高原の家を出ていくと勘違いしてお別れ会の準備してたらしいんですけど……」
ベルゼブブ「……アズサなら早とちりぐらいしそうじゃからな」
ハルカラ「それで、今度はお返しにお師匠様を祝ってあげられないかなと思いまして～」
ベルゼブブ「うむ、なかなか殊勝な心がけではないか。あやつもきっと喜ぶじゃろう」
ハルカラ「ベルゼブブさんなら前にカルエーを作ったように、魔族独特の珍《めずら》しい料理をご存じですよね。……お祝い向けのいい料理ってないですかね？」
ベルゼブブ「なるほどのう。たしかに普通にパーティーをやるよりは、アズサの知らん料理のほうがあやつも面白《おもしろ》いと思うじゃろうな。ふむふむ」

時間経過

ベルゼブブ「よい案があるのじゃ。カルエーにも負けずとも劣《おと》らない伝統的な魔族料理じゃ！」
ハルカラ「ぜひ教えてください！」
ベルゼブブ「その料理名は、嘆き悲しむという意味を持つ『ラメント』という言葉に由来するものじゃ」

ハルカラ「なんか、不吉なネーミングですね……」
ベルゼブブ「その名はラー・メントじゃ。泣きたくなるほどにおいしいということからついた麺《めん》料理じゃ」
ハルカラ「ラー・メント、名前だけでもおいしそうですね～」
ベルゼブブ「ただ、よいラー・メントを作るにはスープのために様々な材料がいる。少なくとも、鳥ガラ・豚骨《とんこつ》、あと、煮干《にぼ》しという魚を干した材料が必要じゃな」
ハルカラ「大丈夫です。ライカさんやファルファちゃんとシャルシャちゃんもきっと手伝ってくれますよ！」
ベルゼブブN《ナレーション》「こうして、わらわはハルカラとともに高原の家に行き、ドラゴンのライカ、我が娘と言っても過言ではないファルファとシャルシャを交えて、材料調達計画会議を行ったのじゃ」

●シーン2

高原の家のダイニング

ベルゼブブ「というわけで、鳥ガラ・豚骨・煮干しがいるわけじゃ。これの質でラー・メントの質も決まるのじゃ。よいものを知っておるか？　危ないところでもわらわが同行してやるから遠慮せず言うのじゃ」
ハルカラ「鳥ガラなら、いいダシがとれる幻の鳥がいるという森を知っていますよ」
ベルゼブブ「うむ。森には詳《くわ》しいか。さすがエルフじゃの。じゃあ、そこはわらわがハルカラと行くとしよう」

アズサ　ベルゼブブの背後からいきなり登場

アズサ「ベルゼブブ、あなた、みんなと何の話をしてるの？」
ベルゼブブ「お、おぬしには関係ないのじゃ！　これは魔族の重要な会議の資料作りじゃ！」
アズサ「……重要な会議の資料、ライカやハルカラに見せていいわけ？　それ、大臣としてまずくない？　機密保持違反とかじゃない？」
ベルゼブブ「バレても絶対に罪に問われん系統のやつじゃから問題ないわ」
アズサ「じゃあ、私に教えてくれても問題ないじゃん。ねえねえ、教えてよ、教えてよ〜」
ベルゼブブ「おぬしだけにはダメなのじゃ！　ほんとに、ほんとに、ほんとじゃ！」

アズサ「なんか、かえって怪《あや》しいな……。もしかして、私をやっつける必勝法とか考えてるんじゃないだろうな……」

ライカ「アズサ様、そういうことはありません！　安全で安心です！　レッドドラゴンの角に懸けて間違いありません！」

アズサ「ライカもそこまで言うならそうなのかな……」

ファルファ「ママ、気にしないでいいよ。気にしたら負けだよ！」

シャルシャ「そうそう。はっきり言って些細《ささい》なこと。ミミズの毛ほどのこと」

アズサ「ファルファ、気にしたら負けって言葉、使い方おかしいよ……。あと、ミミズに毛って生えてたっけ……」

ファルファ「ママ、今日はいい天気だし、バッタさん追いかけびよりだよ！　テントウムシさんもたくさん見つかるよ！　お外にお散歩に行くべきだよ！」

アズサ「そんなに虫に興味ないよ！　むしろ、あんまり虫に会いたくもないし！」

シャルシャ「散歩によって、雑多な考えが整理され、真理に至《いた》ることもある。ある哲学者は散歩中に、メインの著作のテーマをひらめいたという。母さんも散歩するべき。健康は散歩から。楽しい家庭は散歩から」

アズサ「散歩業界の回し者かっていうぐらいに散歩を推してくるな……」

ライカ「アズサ様、ぜひお出かけしてきてください！　掃除などは我がしておきますからご心配なく」

アズサ　「みんなしてどうしたの……？　まっ、いいや。わかったよ。散歩行ってきます」

アズサ　退場

ベルゼブブ　「……ふう、バレずに済んだのじゃ。じゃあ、次に豚骨じゃ。よい豚の産地はないか」
ファルファ　「あっ、それならファルファたち、知ってるよ！」
シャルシャ　「シャルシャも姉さんも、幻の豚がいるという森を知っている」
ベルゼブブ　「おぬしらは物知りじゃの〜。偉いの〜。かわいいの〜。かわいいの〜。よ〜し、わらわと一緒に行こうな〜」

アズサ　再び登場

アズサ　「ベルゼブブ、娘たちとどこか行くつもり？　あまり危険なところはやめてね」
ベルゼブブ　「ぬおっ！　わかっておるのじゃ！　むしろ、おぬしより丁重に扱うから何の問題もない！　徹底的に甘やかし続けるからの！」
アズサ　「それはそれで親として同意しづらい」
ファルファ　「ママ、ファルファ、おりこうさんにするよ」

シャルシャ「シャルシャもベルゼブブさんのことをよく聞く。規律ある行動をとる」
ベルゼブブ「ああ、かわいいのじゃ～。養子縁組したいのじゃ～。財産を全部この二人に相続させたいのじゃ～」
アズサ「おい、絶対にダメだからね。親の許可得ずに養子縁組とか本当の本当にダメだからね」
ベルゼブブ「さすがに冗談じゃ。ほら、とっとと散歩に行け。それで、おしゃれな喫茶店《きっさてん》でくつろいだりせよ。会議の資料が作れぬ」
アズサ「この近くにそんなおしゃれな喫茶店はないかな～」
ベルゼブブ「とにかく、今はあっち行ってくれ！　不快に思ったら、あとでちゃんと謝罪するから、今は離れるのじゃ！」
アズサ「はいはい。散歩のついでに村に持っていく薬の準備をしてたの。もうすぐ出かけるよ」

アズサ　再び退場

ライカ「……危ないところでしたね」
ベルゼブブ「今のところはバレておらんからセーフじゃ。最後に煮干しというものじゃが、これは海産物じゃな。しかし、海に詳しい者はここにはおらんか」

ライカ　「それなら我がやります！　短期間のうちに煮干しについて詳しくなって、最高の煮干しの場所と言える場所を見つけますから！　アズサ様のほっぺたが落ちるような煮干しを手にしてみます！」

ベルゼブブ　「おぬし、暑苦しいほどに気合いが入っておるの……」

ライカ　「これもまた修行です！　成長のチャンスです！　それと……どうせなら、アズサ様にこれ以上ないほどのラー・メントを食べていただきたいですし……。それで、アズサ様の喜ぶ顔を見られたら、我もうれしいですし……」

ベルゼブブ　「まあ、やる気なのはよいことじゃ。……それでは、鳥はハルカラ、豚はファルファとシャルシャ、煮干しはライカということで決定じゃ。わらわがすべて同行するので安心せい」

アズサ　再び登場

アズサ　「もしかして旅行の計画？　だったら私にも教えてよ～」

ベルゼブブ　「違うのじゃ！　もう、頼むから今は話しかけるな！　いろいろ台無しな感じになるから！　いいかげん散歩行け！　散歩行く行く詐欺《さぎ》か！」

アズサ　「なんか、今日のベルゼブブ、感じ悪いな。人間がかつて恐れてた魔族の雰囲気がある」

ベルゼブブ　「そんな『会社内のちょっと感じ悪い同僚』みたいな恐れ方じゃなかったはずじゃ！　長い目で見ればおぬしも得をする流れになっておるから心配せんでいいわい」

ライカ　「ベルゼブブさん、徐々に情報を開示しかけてます……。注意してください……」

ファルファ　「ママ、今日は散歩をすると、とても幸運になれる日として有名なんだよ。とくにお仕事が魔女の人は散歩をすると、一生幸せでいられるって」

アズサ　「ずいぶん、限定的な日だな……」

シャルシャ　「散歩によってほどよい疲労感を覚えることで、体調もよくなり、睡眠の質も上がる。散歩をすればすべて解決。散歩をすれば宇宙の平和につながる」

アズサ　「もう、散歩という神様の信仰みたいになってるな……」

アズサ　「なんか、ややこしそうだし、今度こそ絶対絶対散歩に行くね～」

ベルゼブブ　「フリみたいになってるから、わかりづらいのじゃ！」

●シーン3

ベルゼブブN　「まず、わらわはハルカラと一緒に鳥を探しに向かったのじゃ」

ベルゼブブとハルカラ　鳥ガラを探しに森へ向かう

ハルカラ「着きましたよ～。ここがその森です～。うぅ、吐《は》きそう……」
ベルゼブブ「おぬし、到着した時点で力尽きておるではないか……」
ハルカラ「昨日、お酒を飲みすぎました。おかしいですよね。一杯だけのつもりだったのに、七杯ぐらい飲んでたんです」
ベルゼブブ「おかしいのは、おぬしの自制心の弱さじゃ」
ハルカラ「この森にいるマッザコーベ鳥《どり》という鳥を探します」
ベルゼブブ「……なぜか鳥より牛を連想させる名前じゃの」
ハルカラ「あと、この森は『帰れなくもない森』と言われていて、恐れられているんです」
ベルゼブブ「それ、結局帰れてるじゃろ」
ハルカラ「伝説によると、目をつぶってぐるぐる回転しながら、『ベルファント・レンレ・トントーラ・サイドロヴィッシュ』と五回、一度も噛《か》まずに唱えると、呪われるとか」
ベルゼブブ「呪《のろ》いの発動条件、ムズすぎじゃ！　絶対呪われんわ！」
ハルカラ「『帰れなくもない森』と言われてるのは本当ですよ。過去にエルフがここでマラ

ベルゼブブ　ソン大会を開いた時は、三割の参加者が道に迷って脱落しました」
ハルカラ　「マラソンの実行委員、全員クビにせい。で、マッザコーベ鳥の特徴はなんじゃ？」
ベルゼブブ　「マッザコーベ鳥は鳴き声がものすごく独特なんです。ですから、独特な鳴き声を聞いたら教えてください」
ハルカラ　「わかった。わらわにぬかりはない。では、行くのじゃ」

草をかきわける音

ベルゼブブ　「むっ！」
ハルカラ　「どうかしましたか？」
ベルゼブブ　「向こうから『デュフフ、デュフフフフ……』というキモい鳴き声がするのじゃ。あれが目的の鳥ではないか！」
ハルカラ　「ああ、それはキモ鳥ですね。違う種類です」
ベルゼブブ　「たしかにキモい鳴き声じゃが、ひどい名前つけられとるの……」
ハルカラ　「肝《キモ》を焼くと絶品らしいですよ〜」
ベルゼブブ　「そっちの肝かい！」

草をかきわける音

ベルゼブブ　「むっ、また変な鳴き声じゃ！」
ハルカラ　「今度はどんなんですか？」
ベルゼブブ　「『ヒャッハー！　ヒャッハー！』という鳴き声じゃ。今度こそ当たりではないか⁉」
ハルカラ　「ああ、それは三下雑魚鳥《さんしたざこどり》ですね」
ベルゼブブ　「命名者、機嫌の悪い時に名付けたじゃろ！」
ハルカラ　「三下レベルの味しかしないので食材には向きませんね～」
ベルゼブブ　「ここは変な鳥だらけじゃな……。むっ！　今までで一番独特の鳴き声じゃ！」
ハルカラ　「どんな鳴き声ですか？」
ベルゼブブ　「『お兄ちゃ～ん、お兄ちゃ～ん』と鳴いておる！」
ハルカラ　「ああ、それは妹鳥《いもうとどり》です」
ベルゼブブ　「それだったら弟鳥でもよいじゃろ！　なんで妹限定なんじゃ！」
ハルカラ　「妹がほしい男性の中で高値で取引されているため、この名がついたんです」
ベルゼブブ　「その男たち、越えてはならん一線踏み越えとるぞ！」
ハルカラ　「朝、『お兄ちゃん』と聞こえる鳴き声で起こしてもらうとか」
ベルゼブブ　「用途を聞きたくないわ！　怖いわ！」

牛の鳴き声？

ベルゼブブ「なんじゃ、この森は牛もおるのか」
ハルカラ「いました！　この鳴き声はマツザコーベ鳥で間違いありません！」
ベルゼブブ「こんなに牛に近い声なら最初から教えておけ！」
ハルカラ「こっちから聞こえました！　この先にヨネザワ・オーミ鳥がいますよ！」
ベルゼブブ「鳥の名前、違っておるぞーーーーー！　さっきまでマツザコーベ鳥って言っておったではないか！　ヨネザワ・オーミ鳥ってなんじゃ！　名前、全然別物ではないか！」
ハルカラ「大丈夫ですよ。どちらも高級な鳥です。あと、ブランド鳥だって言っておけば、みんな納得《なっとく》するんです。違いなんてわかりませんよ」
ベルゼブブ「おぬし、急に毒が入ったの……。じゃが、牛の鳴き声が大きくなっておる。このあたりじゃ！」

ヨネザワ・オーミ鳥らしき鳴き声

ハルカラ「それじゃ、いっせーのーで鳥に飛びかかりましょう！」
ベルゼブブ「むしろ、鳥のほうがおぬしに接近しておるぞ」

ハルカラ　「え？　うわわ！　なんか来てる！　つつかれてる！　つつかれてる！　やった！捕まえました！　捕まえましたよ！」

ベルゼブブ　「いや、おぬしがつつかれておるだけじゃがな……。捕獲自体は可能じゃな。でかしたのじゃ！」

ハルカラ　「痛い！　痛い！　くちばしが痛いです！」

ベルゼブブ　「おぬし、攻撃されすぎじゃろ……」

ハルカラ　「あっ…………やば…………」

ベルゼブブ　「なんじゃ！　何があったのじゃ！」

ハルカラ　「ベルゼブブさん……残念なことをお伝えしないといけません」

ベルゼブブ　「うむ、申してみよ……」

ハルカラ　「これ、サガー鳥という別種のブランド鳥でした」

ベルゼブブ　「もう、それでええわい！」

ベルゼブブN　「次にわらわは、ファルファとシャルシャとともに豚を探しに向かったのじゃ。よい豚骨がラー・メントには必須じゃからの。……まあ、見つからんでも二人と旅行ができるだけで最高じゃがな」

●シーン4　ベルゼブブとファルファとシャルシャ　豚を探しに森へ向かう

ファルファ　「うん、このへんで間違いないよ！　着いた、着いたー！」

シャルシャ　「深山幽谷《しんざんゆうこく》の土地。賢者が隠棲《いんせい》するには最適」

ベルゼブブ　「たしかにとんでもない山奥じゃのう。二人とも離れるでないぞ。わらわと手をつなぐのじゃ」

ファルファ　「うん、わかったよ。ベルゼブブさん」

シャルシャ　「ベルゼブブさん、よろしくお願いする」

ベルゼブブ　「デュフフフ……。もう、お母さんと呼んでもよいのじゃぞ？　わらわはいっこうにかまわんからの。ほしいものは何でも買ってやるからの。デュフフフ……」

シャルシャ　「ベルゼブブさん、声がキモ鳥ぽい」

ベルゼブブ　「あの鳥、そこそこ有名なのか……」

ファルファ　「この森はね～、魔法を使えるタヌキさんが人を化かすって伝説があるんだよ～」

シャルシャ　「タヌキやキツネに化かされたという民話は各地で伝わっている。このあたりはとくに顕著」

ベルゼブブ「まっ、わらわほどの偉大な魔族がだまされることはないが、気はつけておこうかの」

ファルファ「あっ！　すごい、すごーい！」

シャルシャ「これは驚天動地」

ベルゼブブ「二人とも、何か見つけたか？」

シャルシャ「クッキーでできたお菓子《かし》の家が森の中にあるとは知らなかった」

ベルゼブブ「それ、絶対にタヌキが化かしておるやつじゃ！」

ファルファ「わーい！　行こう、行こう！　クッキー食べ放題だよー！　マカロンもあるよー！　チョコレートもあるよー！」

シャルシャ「だまされているとわかっていても行かねばならない時もある」

ベルゼブブ「ああ、二人とも待つのじゃ、危険じゃぞ！」

ファルファ「あれ、このお菓子の家、よく見ると……」

シャルシャ「落ち葉や土を使って、遠くからはクッキーなどの焼き菓子であるように見せかけていただけ……」

ベルゼブブ「化かし方のジャンル、おかしいじゃろ！　タヌキって幻影を見せたりするのではないのか？　これ、たんなる努力の結晶ではないか！」

ファルファ「中はどうなってるのかな？　入ってみよう！　わくわくがいっぱい！」

シャルシャ「好奇心ほど危険な麻薬はない。古代の哲学者の言葉」
ベルゼブブ「哲学者の言葉を思い出すなら入らないでほしいのじゃ！」

ドアを開く音

ベルゼブブ「むっ、内部はがらんとしておるが、普通の家みたいじゃのう」
ファルファ「あっ、壁になんか紙が貼《は》ってあるよ」
シャルシャ「『タヌキがキツネより優れている5つのポイント』と書いてある」
ベルゼブブ「タヌキ、自己主張強すぎるじゃろ！　化かす気ないな！」
ファルファ「ふうん。タヌキさんの展示スペースなんだね。こういうのはシャルシャのほうが好きそうかも」
シャルシャ「大変、興味深い。こっちには『キツネから政権奪還を！』という旗も置いてある」
ベルゼブブ「政権ってなんじゃ！　あやつら、同じ国家の住人なのか⁉」
ファルファ「こっちには『キツネをだまして票数を増やそう』って書いてるよー」
ベルゼブブ「それ、政治のスローガンとしてはあかんやつじゃ！」
ファルファ「あー！　あっちにはタヌキさんふれあいコーナーがあるらしいよー！」
ベルゼブブ「ファルファ、あまり先走ると危ないのじゃ！」

ファルファ　タヌキの群れと出会う

ファルファ「わーい！　タヌキさんがたくさんいるー！　……でも、絵本で見たタヌキさんたちよりは、みんな薄汚いや……」

ベルゼブブ「絵本のタヌキはファンシーじゃからの！」

ファルファ「そっか、ここのタヌキさんたちは働いてもなかなかお金がもらえないんだね。資本家のタヌキさんに搾取《さくしゅ》されちゃうんだね……」

ベルゼブブ「世知辛《せちがら》いのじゃ！　タヌキたち世知辛いのじゃ！」

ファルファ「あっちのタヌキさんはずっと木の実を水で洗ってるよー！」

ベルゼブブ「それ、タヌキじゃなくてアライグマじゃ！」

シャルシャ「ここの展示物に、タヌキとアライグマの合併の歴史が詳しく書いてある」

ベルゼブブ「この獣たち、やたらと高度なことをしておるの！」

シャルシャ「合併賛成51パーセント、反対は49パーセントだったらしい」

ベルゼブブ「ものすごく僅差《きんさ》じゃな！」

シャルシャ「この施設には、タヌキの苦難と挫折と怒りの歴史が余すことなく紹介されている。大変ためになった」

ファルファ「うわー、タヌキさん、ふわふわでもふもふだよー！　癒《いや》されるよー！」

シャルシャ「姉さん、本来の趣旨を忘れている。シャルシャたちの目的はスープをとるための豚を…………タヌキをもふもふすること」

ベルゼブブ「欲望に負けておるの……。まあ、よいわ。楽しそうなおぬしたちの顔を見れることこそ、最高の喜びじゃ」

ファルファ「あっ、タヌキさんが本当にクッキーを持ってきてくれたよー！」

シャルシャ「右側はとてつもなくおいしいクッキーの味がするけど実はただの雑草、左側は本物のクッキーだけど雑草のようにとてつもなくまずい味がするらしい」

ベルゼブブ「究極の二択じゃな！」

ファルファ「じゃあ、ファルファはおいしいクッキーの味がする雑草を選ぶね」

シャルシャ「シャルシャもそちらを選ぶ」

ベルゼブブ「迷わず、雑草にいきおった！」

サクサクのクッキーを食べる音

ファルファ「うわー！　今まで食べた中で一番おいしいクッキーだよ！　これなら雑草でもいいよ！」

シャルシャ「脳がおいしいと感じるならそれこそが真実。すべては脳が見せている幻とすら言える」

ベルゼブブ　「では、せっかくじゃし、わらわは本物のクッキーを食べてみるかのう」

サクサクのクッキーを食べる音

ベルゼブブ　「…………まずっ！　所詮《しょせん》、タヌキが作ったクッキーじゃから低レベルじゃ！　パサパサじゃ！」
ファルファ　「あっ、タヌキさんが願いをかなえてくれたら、最高級の豚がいるところまで案内するって言ってるよ！」
ベルゼブブ　「ほほう。じゃが、願いが厄介《やっかい》じゃと時間がかかりそうじゃの……」
シャルシャ　「『腰がこってるので、もんでほしい』らしい」
ベルゼブブ　「すぐできるやつ！」

ベルゼブブN　「タヌキの腰をもんで、わらわたちは無事に稀少な豚をゲットしたのじゃ。これで豚骨もとれるのう。材料集めは順調じゃ」
ベルゼブブN　「最後にわらわとライカは煮干しを求めて、海へと向かったのじゃ。港で漁船をチャーターして海に出た」

●シーン5

ライカとベルゼブブ　船で大荒れの海へ出航する

暴風の音

ライカ　「なかなか荒れていますね。まさか、海のほうでは、嵐《あらし》になっているとは思いませんでした」

ベルゼブブ　「そうじゃのう。これでは小さな漁船じゃから、転覆《てんぷく》してしまうかもしれんのう」

ライカ　「ですね。これは乗っていたら酔うでしょうね」

ベルゼブブ　「まあ、わらわが浮きながら、おぬしを引っ張りあげておるから問題ないがのう」

ライカ　息を吐く

ライカ　「はぁ。お手数をおかけいたします。我は人間の姿だと飛べないもので」

ベルゼブブ　「なあに。わらわは上級魔族じゃからの。おぬし一人ぐらいどうってこともないわ。……それにドラゴンの姿では漁もできんしの」

ライカ　「むっ、船長さんが泣きながら何か言っていますよ。『転覆しそうだから引き返させてほしい』そうです」

ベルゼブブ「転覆したら、ライカがドラゴンになっておぬしも救助できるから心配いらんわ」

ライカ「『船が転覆すると仕事にならないので困る』のだそうです。船は漁師の命だとか」

ベルゼブブ「なら、わらわが魔族の予算で買ってやるわい。農林水産部門のことなら問題ないのじゃ」

ライカ「それ、公金の使い方としては問題あるのでは……」

ベルゼブブ「大丈夫じゃ。タヌキやキツネの政治よりクリーンじゃ」

ライカ「えっ、タヌキやキツネに政治なんてあるんですか!? 我、初耳です……」

ベルゼブブ「まあ……細かいことはいいのじゃ」

ライカ「あっ、船長さんも船が新調できると聞いて喜んでいますね。こんなボロ船、むしろとっとと沈めとおっしゃっています」

ベルゼブブ「さっき、船は命とか言っておったよな！」

ベルゼブブ「さて、煮干しのもととなる魚はここで取れるのじゃな？ わらわもあまり海は知らんのでな」

ライカ「この近海でとれるイキリイワシという魚を集めればよいそうです」

ベルゼブブ「イキリイワシじゃな。体の色とか見た目に特徴はあるのか？」

ライカ「『自分は強い、強いんだぞ』とやたらと調子に乗っているそうです」

ベルゼブブ「いや、見た目を教えるのじゃ……。イキリイワシにも謙虚な奴《やつ》はおるじゃろ……」

ライカ　下の物音に気づく

ライカ「おっと、船長さんが網《あみ》を引き上げはじめました。船に降りて、魚のチェックをいたしましょう！」

ベルゼブブ「うむ、わらわたちも網を引っ張るのじゃ！　よいせ、よいせ、よいせ！」

ライカ「よいせ、よいせ、よいせ！　よいせ、よいせ、よいせ！　よいせ、よいせ、よいせ！」

ベルゼブブ「おぬし、すごく頑張るのう……」

ライカ「アズサ様においしいラー・メントを食べてもらうためですから！　アズサ様、待っていてくださいね！」

ベルゼブブ「なんて健気《けなげ》なんじゃ……。なぜか目から汗が……」

ベルゼブブ「むっ、この小さいのがイキリイワシかのう？」

ライカ「いえ、これは卑屈イワシですね。『自分は所詮、弱者だ、何をしたって無駄なんだ』という顔をしています」

ベルゼブブ「それ、偏見じゃろ。卑屈イワシにも『いつかイワシ界で天下取っちゃいますから、そこんとこよろしく』みたいな奴もおるじゃろ……」

ライカ「とにかく、イキリイワシより味は劣るそうなので、捨ててください」

ベルゼブブ　「うむ。使う食材以外は資源保護の観点からキャッチアンドリリースじゃ！　海で立派になるんじゃぞ！　卑屈さは捨てるのじゃぞ！」

ベルゼブブ　「おっ、このイワシは顔がさっきと違うの」

ライカ　「やりました！　これこそイキリイワシです！　さほど体も大きくないのに、やけにピチピチ跳ねて元気なところを見せようとしていますし、間違いありません。そっちのカゴに入れてください」

ベルゼブブ　「よし、まず最初の一匹をゲットじゃ」

ベルゼブブ　「むっ、なかなか巨大な魚が来たぞ」

ライカ　「それは大物のカツオですね。市場価格はかなり高いそうです。でも、イワシではないので捨ててください」

ベルゼブブ　「キャッチアンドリリースじゃ！　むっ、今度はカニじゃ」

ライカ　「それはホンタラバガニですね。土地によっては高級食材らしいですが、イワシではないので海に捨てましょう」

ベルゼブブ　「キャッチアンドリリースじゃ！　おっ、今度も魚じゃな」

ライカ　「キンメダイですね。これも高級らしいですが、イワシではありませんね」

ベルゼブブ　「キャッチアンドリリースじゃ！　おお……次は超巨大な魚じゃな。船長も喜んでおるぞ」

ライカ　「これは……最大級のホンマグロですね。まあ、イワシではないので捨ててください」

ベルゼブブ「キャッチアンドリリースじゃ！　全然いらん！　何匹もおるが、全部いらん！」

ライカ「あっ、このあたりはイキリイワシがたくさん集まっていますね！　このイワシたちを集めましょう！」

ライカ「あれ、船長さん、なんで泣いてるんですか？　えっ？　マグロとかカニとか残しておいてほしかった？　でも、我らはイワシしかいりませんので」

ベルゼブブ「ところでライカよ。ふと、思ったのじゃが」

ライカ「はい、なんでしょうか？」

ベルゼブブ「煮干しってこのイワシを加工して作るのじゃろ？　最初から高級な煮干しがどっかで売っておるのではないか？」

ライカ「………あっ。そうかもしれませんね。すみません、我は一つのことに集中するとほかのことが見えなくなる性格で……。イワシのことしか考えられていませんでした……」

ベルゼブブ「まあ、よいよい。港に戻ったら高級な煮干しを買うぞ」

ライカ「どうしましたか、船長？　あっ、マグロなら全部、海にかえしましたよ。あれ、なんでそんなに泣いているんですか？　何か残念なことがありましたか？」

ライカ「大丈夫です！　後悔するようなことがあっても、その失敗がまた自分を成長させてくれますから！　負けないでください！　頑張りましょう！　我も応援してお

ベルゼブブ　りますから！」
「なんか、船長、もっと泣き出したのう。年をとると涙もろくなるようじゃし、それかのう」

ベルゼブブN　「わらわたちは漁港でいい煮干しを購入したのじゃ。麺のあてはあるし、おおかたの材料は揃《そろ》ったと言ってよいじゃろう。さあ、ラー・メントを作るぞ！」

●シーン6

再び高原の家のダイニング

アズサ　「ただいま～、みんなに勧《すす》められた散歩から帰ってきたよ～。ぶっちゃけ、とくに何もなかった。平和だった！　散歩中、五回ぐらいあくびした！　でも、平和が一番だよね！　…………あれ？」

アズサ　「なんか、みんな勢揃いしてるけど、どうしたの？　ハルカラも今日は工場の立ち

ハルカラ　上げ作業、早く終わったんだね。しかも、ベルゼブブまで来てるし」
アズサ　「お師匠様、先日、わたしが高原の家を卒業すると勘違いしてパーティーを開いてくださいましたよね～」
ハルカラ　「ああ、あれか……。いや、やたらと物件を探してるから、ついつい独立するつもりだと思っちゃってね……。工場用の土地を探してただけだったんだよね」
ファルファ　「でも、お祝いされたのには違いないので、今日はそのお返しをしようかと思いまして～」
シャルシャ　「ファルファたちも食材集め、手伝ったんだよ～」
アズサ　「草を食《は》むような苦難すら味わって、いい豚を手に入れた」
ファルファ　「なんなの？　シャルシャとファルファは飢えるようなところにまで行ってたの？」
シャルシャ　「でも、あの草、とってもおいしいクッキーの味がしたけどね！」
アズサ　「むしろ、今後もあのタヌキたちにだまされたい」
ライカ　「クッキーの味？　タヌキ？　……ごめん、二人の言葉がファンシーすぎて、三百歳の私には理解できないや」
ベルゼブブ　「アズサ様のために、魔族の特製料理を振る舞うことにしたんです。我も日頃《ひごろ》の感謝の気持ちを込めて参加いたしました！」
「そして料理担当は魔族のこのわらわじゃ！」

アズサ　「へえ、みんなありがとう……。こんなサプライズイベント、初めてだからうれしいよ！」

アズサ　「社畜《しゃちく》時代、サプライズ仕事はたくさんあったんだけどな……。終わったと思った頃に別の仕事降ってくるんだよな……」

ライカ　「アズサ様？　どうしましたか？」

アズサ　「ごめん、ごめん。ちょっと過去の傷的なものを思い出しただけ。……じゃあ、早速その魔族の料理をいただこうかな」

ベルゼブブ　「うむ！　これが魔族料理、ラー・メントじゃ！　金属のフォークじゃと熱くなるので、木のフォークを使うとよいぞ！」

アズサ　「ああ～。これは典型的なラーメンだね～」

アズサ　「この土地にもラーメンあるんだ……。マジでなんでもあるな……」

ベルゼブブ　「ラーメンではない！　ラー・メントじゃ！　発音が違うのじゃ！」

アズサ　「そこはこだわるんだ……。でも、これ、私の感覚だとラーメンなんだよね」

ベルゼブブ　「おぬし、以前わらわがカルエーを作った時もカレーとか雑に発音しおったじゃろ。料理名は正しく覚えてほしいのじゃ。おぬしだって、名前をバズザとか呼ばれたらムカつくじゃろ」

アズサ　「こっちの世界にもあるなら、面倒だから名称も一致させてほしいな……」

ベルゼブブ　「この料理はゆっくりしていると伸びてしまうから、早く食べてほしいのじゃ」

アズサ　「それもそうだね。ラーメン……ト、いただきます！」

アズサ　スープを飲む

アズサ　「むっ！　これは鳥と豚骨、それに煮干しの味もする！」
アズサ　「保存料無添加で安心！　いろんな要素が混ざってる分、パンチ力には欠けるけど、味わいが重層的で、何度でも食べたくなる、そんなラーメンだね！」
アズサ　「煮干しの味がしっかりするのに、煮干し特有のえぐみがちっともない！　豚骨も臭みがないのに強烈なうまみだけを抽出してる！　鳥は鳥ガラを煮込んでるね。いや、これは鳥ガラだけじゃない。モミジや鳥の皮といった部位も一緒に煮込むことで鳥だけが出せるあのお母さんのようなやさしい甘さと芳醇《ほうじゅん》なコクを際立《きわだ》たせている！　しかも、そのうち一つが飛びぬけるんじゃなくて三位一体《さんみいったい》の完璧《かんぺき》なる黄金比になっている!!」
ファルファ　「こんなに料理で語るママ、初めてー」
シャルシャ　「この料理はついつい語りたくなるらしい」
アズサ　「麺もスープによくからむ細麵！　しかも、小麦の香りが立ってる！　これ、石臼でひいたばかりだね！　小麦本来の甘さがスープの邪魔をせずに、ほんのり後ろに感じられる！」

ファルファ「ママ、本当に語《かた》るねー」
シャルシャ「すごい。まるで詩人のよう」
アズサ「いや、そんなに詳しくないんだけど、ついついしゃべりたくなってしまう魅力があるんだよ。嗚呼《ああ》……社畜時代、深夜までやってるラーメンのお店には世話になったなあ……」
ベルゼブブ「うまいじゃろう、うまいじゃろう！　それはラー・メントの中でも王道系のものじゃが、だからこそ誤魔化《ごまか》しがきかぬ難しい一品じゃ」
ライカ「アズサ様。すみません、『野菜』、『アブラ』、『ニンニク』、どうなさいますか？」
アズサ「なんの話？　よくわかんないけど、ライカ、適当にやっといて」
ライカ「承りました！」
ファルファ「ママー、1から10のどの数字がいいー？」
シャルシャ「これは母さんが試されている瞬間」
アズサ「今度は何の質問？　心理テスト？　3を選んだあなたは勝ち気ですみたいな？　じゃあ、10でいいよ」
ファルファ「わかったー！　たくさん入れるねー！」
シャルシャ「やっぱり母さんはすごい。尊敬できる。どこまでも挑戦者」
アズサ「10って答えるだけで尊敬されるって、楽だな……」
アズサ「ていうか、ベルゼブブ、こんなレベルの高いラーメン……トを作れるんだね」

ベルゼブブ　「実はわらわの部下に料理がプロ級のヴァーニアという者がおってな。さっきまで手伝わせておったのじゃ」
アズサ　「そのためにわざわざ来てもらってたのか……。じゃあ、お礼を言わなきゃ」
ベルゼブブ　「もう帰った。仕事があるらしい」
アズサ　「本当に料理のためだけに呼んだのか……。こっちが申し訳ないわ……」
ベルゼブブ　「まあ、会う時は会うじゃろ。人生とはそういうものじゃ。そして……ラー・メントとは人生そのものと言っても過言ではないのじゃ」
アズサ　「それは過言だと思うけど、気持ちはわからなくもない」

アズサ　ラー・メントを食べていく

アズサ　「うん、久しぶりのラーメン、おいしかった～！」
ベルゼブブ　「ラー・メント」
アズサ　「……ラー・メントおいしかった～！　ごちそうさま～！」
ハルカラ　「台所のライカさん、一杯目終わりました～！」
アズサ　「えっ？　一杯目ってどういうこと？」
ハルカラ　「今回はお祝いのために何種類かのラー・メントを用意したんです」
アズサ　「えっ！　二杯目もあるの⁉」

ライカ　「次のラー・メントです！　アズサ様、どうぞ！」
アズサ　「うあああ！　野菜大盛りのこのフォルム、そしてゴワゴワした太い麵は………日本でもがっつり系の代名詞的存在だった……勇次郎《ゆうじろう》系ラーメン！」
ベルゼブブ　「ユウジロウ系ではない。ジローン系じゃ。これも代表的なラー・メントじゃな」
ベルゼブブ　「魔族の中にはジローン系にはまりすぎて、神殿を造った者までおる」
アズサ　「信仰対象にまでしちゃったんだ……」
ライカ　「ジローン系は事前に野菜とアブラの量とニンニクを入れるかどうかなどを尋《たず》ねるらしいですね」
アズサ　「さっきの謎《なぞ》の質問、それかー！」
ライカ　「先ほどアズサ様に確認したところ、適当にということでしたので、ドラゴン基準で全部マシマシにいたしました」
アズサ　「なんで、基準をドラゴンにしちゃうの⁉　見た目十七歳の人間女性に合わせて！」
アズサ　「ていうか、二杯目がこれっておかしいでしょ……。おなかをすかせてチャレンジするたぐいのやつでしょ……」
ベルゼブブ　「魔族なら普通じゃぞ。飲みの〆《シメ》にもよく使っておる」
アズサ　「人間に合わせろ」
サ　「しょうがないか……。なんとか食べられるかな……。まず、大盛りの野菜と下に沈んでる麵をひっくり返して、麵から食べてっと……。野菜はおなかがふくれてもそこそこ食べられるからね。麺がスープを吸うと難易度が上がっちゃうから要注意っと」

ベルゼブブ「……おぬし、初めて見る料理のくせにそこそこ攻略法を知っておるな」

アズサ「この料理、いろんなところでネタにされてたから……ある程度はね」

アズサ　引き続きラー・メントを食べていく

アズサ「うん、なんとか完食！　三百年ぶりのラーメンだし、二杯ぐらいはいいかな」

ファルファ「すごいよ、ママ！　あれを食べきっちゃった！」

シャルシャ「母さんはいまだに育ち盛りなのかもしれない。進化をやめない三百歳」

アズサ「シャルシャ、その褒《ほ》め方は年増っぽさがあるので、あまりしてほしくない……」

アズサ「ふう、堪能《たんのう》したよ。みんな、ありがと――」

ハルカラ「台所のライカさん、二杯目も終わりましたー！」

ライカ「わかりました！　今、持っていきます！」

アズサ「えっ……まだ、あるの……？　何その、ラスボスが二回の変身を残してるみたいなやつ……」

ベルゼブブ「三杯目はわらわの好きなラー・メントにしてみたのじゃ」

アズサ「うわ、そこはかとなく漂《ただよ》う嫌《いや》な予感……」

ライカ「アズサ様、激辛ラー・メントです！　どうぞ！」
アズサ「うわ〜〜〜！　真《ま》っ赤《か》な地獄みたいなフォルムのが来た〜〜〜〜！」
ベルゼブブ「でも、それ、おぬしの自業自得じゃぞ」
アズサ「えっ？　どういうこと？」
ベルゼブブ「1辛や2辛なら誰《だれ》でも食べられるが、おぬし、わざわざ10辛って言ったじゃろ」
アズサ「待て。そんなの聞かれた覚えは――――」
ファルファ「さっき、ファルファ、1から10、どの数字がいいか聞いたよ〜」
アズサ「それかー！　心理テストじゃなかったー！　辛《から》さの耐久テストだったー！」
シャルシャ「10辛は極限的なものらしい。そこに挑む母さんはやっぱり偉大。進化をやめない三百歳」
アズサ「シャルシャ、その表現、気に入ったの……？」
アズサ「けほっ、けほっ！　うわあ、顔を近づけただけで、涙出てくる……」
ハルカラ「涙が出るほど喜んでくれてるんですね。わたし、恩返しができてよかったです！」
アズサ「プラス思考か！　香辛料で涙出ちゃってるんだよ！」
ベルゼブブ「……じゃが、ちゃんと辛さの中にうまみがあるじゃろ？」
アズサ「うん、おいしくはあるよ。ただ……三杯目にこれはきついけど」
ベルゼブブ「じゃあ、四杯目以降は中止したほうがよいようじゃな」
アズサ「もう、みんなで食べよう！　ラーメン大会にしよう！　ラーメン大会！」

ベルゼブブ　「ラー・メントじゃ」

アズサ　「……わかった、そこは私も一歩引くから。ラー・メント大会ね。みんな、食べてね……」

ベルゼブブN　「そんなわけで、全員でラー・メントをさんざん楽しむことになったのじゃ」

ファルファ　「うん、おいしい！　本当においしい！　ファルファ、これ好きになっちゃった！」

シャルシャ　「ラー・メントは哲学。器の中に秘められた無限の可能性」

ライカ　「うん、六杯目の濃厚豚骨ラー・メントもおいしかったです。我は七杯目を食べたいのですが、よいでしょうか？」

ハルカラ　「ライカさん、いくらなんでも食べすぎじゃないですか？　いや〜、これ、本当にお酒のシメによさそうですね〜」

アズサ　「じゃあ、ライカの分は私が持ってくるよ。待ってて」

●シーン7

アズサ　ベルゼブブのいる台所へ向かう

アズサ　「ベルゼブブ、もう一杯、ライカが食べるって」
ベルゼブブ　「そうか、そうか。なんじゃ、ちゃんと全部食べきりおるではないか」
アズサ　「ドラゴンは大食いだからねー。……それにしても、またベルゼブブにお世話になっちゃったね」
ベルゼブブ　「別にどうってことはないわ。みんなが楽しくなることなら、どんどんやったほうがいいのじゃ」
アズサ　「そっか、そっか」
ベルゼブブ　「あと、わらわも、おぬしの喜ぶ顔が……その…………見たいしな……」
アズサ　「あれ、もしかしてベルゼブブ、デレてる？」
ベルゼブブ　「よ、余計なことを言うでない！」
アズサ　「ごめん、ごめん。とにかく、ありがとうね」
ベルゼブブ　「うむ。あと、娘たちの喜ぶ顔はもっと見たいしのう」
アズサ　「待て。娘たちって誰のことだ？」
ベルゼブブ　「ファルファとシャルシャは本当に目に入れても痛くないほどかわいいの

じゃ～！」

アズサ「二人は絶対にあなたの養女にはしないからね！　私の娘だからね！　そこんところは勘違いしないように！」

ベルゼブブ「ほいほい、わかったのじゃ。……しかし、あれじゃのう。これだけ巨大な鍋《なべ》が並んでおると壮観じゃのう」

アズサ「ラー・メントって豚骨とか鳥ガラとか煮出すからね。大きな鍋がいくつもいるよね」

ベルゼブブ「まるで………あれみたいじゃな」

アズサ「あれって何？」

ベルゼブブ「ほら、魔女の家みたいじゃ」

アズサ「待て」

アズサ「ここは魔女の家だ！　正真正銘《しょうしんしょうめい》の魔女の家だ！　むしろ、何の家だと思って来てた⁉」

ベルゼブブ「娘二人の家じゃ」

アズサ「だから、娘って表現はやめろー！」

ベルゼブブN「なんだかんだでラー・メント作りは大成功じゃったのじゃ。これも、偉大なる魔

アズサN　族であるわらわのおかげじゃのう！」
「うんうん。散歩しておなかをすかせたかいがあったよ。たまには、みんなにお祝いされるのも悪くないかな」

終わり

あとがき

お久しぶりです、森田季節《もりたきせつ》です。

さて、この本のオビに書いてありますが、アニメの情報がちょっと増えてますね！

というわけで二〇二一年春にやります。よろしくお願いいたします！

まあ、アニメはアニメ制作会社の方にやってもらいつつも、小説のほうはロングスパンでだらだらとマイペースに続けていきますので、引き続き楽しんでいただければ幸いです！

そして、アニメ関連でもう一つ。

ライカ役の本渡楓《ほんどかえで》さんとファルファ役の千本木彩花《せんぼんぎさやか》さんによるラジオがはじまります！

タイトルは「スライム倒して300分～知らないうちに300分話してました～」になる予定です。

また公式ツイッターなどで情報が出るはずですので、そちらもチェックしていただければと思います！


続いてコミック関連のお話です。

前月にシバユウスケ先生によるコミカライズ七巻、村上《むらかみ》メイシ先生による「ヒラ役人やって1500年」コミカライズ三巻が発売しました！

応援してくださっている皆様のおかげで、コミカライズ一巻はこれまでに十四回重版しております。本当にありがたいです！

コミカライズ八巻は来年の三月発売予定です！　楽しみにお待ちください！

またスピンオフの「ヒラ役人やって１５００年」コミカライズは原作の全エピソードを漫画でやってもらい、追加のオリジナル回も多数加えてもらい、完璧な形で完結いたしましたが、次のスピンオフ「レッドドラゴン女学院」のネームもすでに拝見しております。

発表時期は未定のようですが、そのうち発表されると思いますので、こちらもよろしくお願いいたします！


さて、続いて今回のドラマＣＤのお話を。

ペコラ役の田村《たむら》ゆかりさんが今回のドラマＣＤから初登場します！

もしかしたら、過去にも書いたかもしれませんが、収録を見学させていただいた時、「あっ、ペコラがそこにいる」と思いました。本当に、ペコラがペコラの声を出しているという気持ちがしました。ぜひご視聴いただきたいです。

そして、ドラマＣＤにも関することですが、今回の十四巻のおまけでは過去のドラマＣＤの第一弾・第二弾の台本を収録いたしました（読み物として違和感ないように、ごく一部微調整をしています）。

ドラマCDは原則重版ができないため、とくに早い段階で売り切れた第一弾は入手ができないという声を多数お聞きしていました。原作者としても、どうにか届けたいなとは思いつつも、自分の一存でCDをプレスしたりできるわけもなく、そもそも通常版の小説を買った人に、そこにドラマCDがついた特装版を売ることなんてできるわけないし、かなり深刻な課題でした。

そして、その打開策として、ドラマCDの台本を収録するという形をとりました。もちろん、音声まではわからないわけですが、そこは脳内補完してもらえれば！

また、ドラマCDを入手していた方も、今度は活字で楽しんでいただければと思います！　また紅緒《べにお》先生の新規の挿絵も入っていますので、そちらもごらんください！

最後に謝辞を。

今回も素晴らしいイラストを描いてくださった紅緒先生、本当にありがとうございます！

もう、初期からいるようなキャラとはかなり長い付き合いになってきましたが、今後ともよろしくお願いいたします。

またコミカライズを担当してくださっているシバユウスケ先生、村上メイシ先生も本当にありがとうございます！　とくに村上メイシ先生は長い間、お疲れ様でした！　最後のほうはベルゼブブやヴァーニア、ファートラたちが村上先生の持ちキャラみたいに生き生きとしていて、シバ先生のコミカライズのベルゼブブたちと見比べるのも楽しかったです。

また、アニメ制作に携《たずさ》わってくださっている方々もありがとうございます。当たり前と言えば当たり前ですが、アニメになった途端、これまでと桁が違う規模の人が関わってくれるということを実感いたしました。いいものになることを期待しております！

もちろん、この本を買ってくださっている読者の皆様、「スライム倒して３００年」シリーズを応援してくださっている皆様、本当にありがとうございます！　これからも本編でアニメに負けないような楽しい展開をいろいろとやっていければと考えていますので、今後とも応援をよろしくお願いいたします！

次の小説十五巻は一月発売予定です！　では来年お会いしましょう！

森田季節

GAノベル

スライム倒して300年、
知らないうちにレベルMAXになってました14

2020年10月31日　初版第一刷発行
2021年3月9日　第三刷発行

著者　森田季節

発行人　小川 淳

発行所　SBクリエイティブ株式会社
〒106-0032　東京都港区六本木2-4-5
03-5549-1201　03-5549-1167（編集）

装丁　AFTERGLOW

印刷・製本　中央精版印刷株式会社

ISBN978-4-8156-0651-0

Printed in Japan

ファンレター、作品のご感想をお待ちしております。

〒106-0032　東京都港区六本木 2-4-5
SBクリエイティブ株式会社
GA文庫編集部 気付

「森田季節先生」係
「紅緒先生」係

本書に関するご意見・ご感想は
下のQRコードよりお寄せください。
※アクセスの際に発生する通信費等はご負担ください。

https://ga.sbcr.jp/